LLYTHYRAU
YN Y LLWCH

I Mam ac Eirlys, y ddwy chwaer

LLYTHYRAU YN Y LLWCH

SION HUGHES

Hoffwn ddiolch i Alun Jones am ei waith fel golygydd
ac am fy arwain o'r tywyllwch i'r goleuni lawer tro.

Argraffiad cyntaf: 2014
© Hawlfraint Sion Hughes a'r Lolfa Cyf., 2014

Ffuglen yw'r gwaith hwn. Er ei fod yn cynnwys cyfeiriadau at bobl
a sefydliadau go iawn, maent yn ymddangos mewn sefyllfaoedd
dychmygol a chyd-ddigwyddiad llwyr yw unrhyw debygrwydd
rhyngddynt a gwir sefyllfaoedd neu leoliadau.

Cynllun y clawr: Olwen Fowler

Rhif Llyfr Rhyngwladol: 978 1 78461 062 3

Dymuna'r cyhoeddwyr gydnabod cymorth ariannol
Cyngor Llyfrau Cymru

Cyhoeddwyd ac argraffwyd yng Nghymru
ar bapur o goedwigoedd cynaladwy gan
Y Lolfa Cyf., Talybont, Ceredigion SY24 5HE
e-bost ylolfa@ylolfa.com
gwefan www.ylolfa.com
ffôn 01970 832 304
ffacs 01970 832 782

Prolog

Roedd hi'n stori gyfarwydd bryd hynny.

Yn yr ystafell wely fechan, dawel, syrthiodd y babi i gysgu â'i wefusau'n dal i dynnu'n reddfol ar y fron. Edrychodd ei fam arno a gwenu; crychodd yntau ei wyneb bach fel petai wedi gweld bwgan mewn breuddwyd.

Tarfwyd ar lonyddwch y foment gan rywun yn dod at ddrws y tŷ.

Un gnoc awdurdodol yn unig – a thawelwch ar ei hôl.

Gwyddai'r ferch fod pwrpas mawr y tu ôl i'r ymweliad yma ac am yr eilwaith y diwrnod hwnnw dechreuodd grio'n dawel ond yn ddireol. Bu'n rhaid iddi godi ar ei thraed, a'i babi yn ei breichiau, i drio rheoli ei dagrau.

Nid galwad gymdeithasol a chwrtais gan un o drigolion y pentref oedd hon ond ymweliad i gasglu rhywbeth go arbennig.

Clywodd sŵn traed ei mam yn camu'n bwrpasol tuag at y drws, fel pe bai hi wedi bod yn disgwyl yr ymwelwyr ers tro. Agorodd y drws i'r dyn a'r cwpwl dierth mewn dillad dydd Sul y tu ôl iddo.

Ar ôl croeso tawel ei mam, camodd y tri i'r tŷ. Doedd dim modd dilyn y sgwrs dywyll a ddaeth wedyn, ond cariai sŵn y lleisiau drwy'r tŷ yn isel a thrwm fel murmur hen ymgymerwr. Daeth anobaith y ferch fel cwmwl coch o boen o'i chwmpas. Duw'n unig allai ddweud beth fyddai hanes ei phlentyn ar ôl hyn.

Roedd hi wedi cytuno. Cytuno bod y babi am gael mynd at deulu arall er mwyn iddo gael bywyd gwell.

Edrychodd i lawr ar ei mab a'i dynnu'n agos ati. Llithrodd y deigryn olaf i lawr ei boch a glanio ar ei dalcen nes iddo wingo am eiliad cyn setlo'n ôl eto.

Heno, a hwythau yn y tŷ, a'r foment wedi dod, doedd y ferch ddim am ildio.

Daeth y penderfyniad i ymladd yn ôl yn hawdd a chyflym. Doedd hi ddim am ei golli. Na, doedd hi ddim am ei roi i neb. Roedd rhywbeth greddfol ynddi yn gryfach na hyn i gyd.

Cododd ar ei thraed a gosod y bwndel bach i gysgu yng nghornel yr ystafell wely. Aeth at ddrws yr ystafell a rhoi tro i'r allwedd i'w gloi. Wrth i'r lleisiau agosáu, gwthiodd y gwely mawr trwm, fodfedd wrth fodfedd, ar draws yr ystafell a'i osod yn erbyn y drws.

Yna, llusgodd gwpwrdd llyfrau at y gwely a thaflu popeth arall roedd modd ei symud at y domen.

Dechreuodd y babi ddihuno i sŵn dyrnu ar y drws ond buan yr aeth yn ôl i gysgu eto ym mreichiau ei fam.

1943

1

Llundain

I'R GORLLEWIN O Piccadilly roedd y strydoedd yn ddistaw. Crwydrodd niwl afon Tafwys i mewn drostynt a dim ond sŵn traed ambell un yn mynd am adre oedd yno i dorri ar ddistawrwydd llwyd y brifddinas wrth iddi noswylio.

Yng ngorsaf reilffordd Addison Road gerllaw arafodd trên militaraidd a hwnnw wedi ei baentio yn gyfan gwbl ddu. Doedd hwn ddim ar unrhyw amserlen swyddogol. Ar ôl munud neu ddwy agorodd un o'r drysau. Daeth pedwar dyn mas i aros am y pumed – dyn tal ac awdurdodol yr olwg.

Aethant yn syth at gar mawr swyddogol gerllaw. Eisteddodd y dyn tal yn y cefn a llithrodd y cerbyd drwy'r niwl i Kensington Road ac i gyfeiriad Hayes Lodge yn Chesterfield Street.

Hwn oedd diwrnod cyntaf y dyn yn ei swydd newydd a theimlai braidd yn nerfus – rhywbeth digon naturiol i ddyn deimlo ar ei ddiwrnod cyntaf, ond eto, roedd y swydd yma'n wahanol iawn i bob swydd arall.

Enw'r dyn oedd Dwight David Eisenhower ac roedd ar fin cychwyn yn ei swydd fel pennaeth holl fyddinoedd y Cynghreiriaid. Ei dasg oedd paratoi ar gyfer Operation Overlord, sef ymosodiad enfawr ar gyfandir Ewrop. Gwyddai fod gwaith cynllunio a pharatoi mawr o'i flaen cyn y byddai'r holl filwyr, y peiriannau a'r arfau yn barod.

*

Roedd eraill wedi bod yn paratoi ar gyfer Operation Overlord y tu ôl i'r llenni ers tro, ac yn eu plith William Parry o Drawsfynydd. Roedd William ar chweched llawr Norfolk House yn St James's Square gerllaw, pensil yn ei law ac yntau wrthi'n rhoi'r manylion olaf ar fap.

Ar y map roedd pentref o'r enw Llanyborth. Roedd William wedi cymryd ei bensil a lliwio parsel o dir rhyw ugain acer o ran maint i'r gorllewin o'r pentref ac yna wedi gwneud yr un peth i ardal arall i'r dwyrain. Ar waelod y map ysgrifennodd y geiriau: 'The areas marked are to be REQUISITIONED urgently for military purposes and must be cleared immediately of their inhabitants.'

"Caiff y bobol yma yfflon o sioc. Mae'n siŵr bydd o leia ddeg o ffermydd yn cael eu heffeithio yn y pentra bach yma," dywedodd wrth ei gyd-weithiwr, Aled Williams, a eisteddai ar ddesg arall gerllaw.

"Mae pobol Prydain i gyd am gael yfflon o sioc," atebodd yntau. Roedd Aled yn gwneud yr un gwaith yn union â'i gyd-weithiwr ond ar fap tipyn mwy o faint. "Mae gen i un yn fan'ma ar gyfer ardal yn ne Lloegr sydd yn mynnu bod 3,000 o bobol yn gadael eu cartrefi."

Bu'r ddau'n gweithio yn Swyddfa'r Rhyfel ers dechrau'r brwydro.

"Yn ôl y sôn, mae'r milwyr Americanaidd sy'n dod drosodd i'r safleoedd hyn yn wyrdd fel glaswellt Wembley ac angen hyfforddiant sylweddol cyn y gallan nhw wynebu milwyr yr Almaen," meddai William, gan gofio iddo weld memo yn sôn am yr angen am ddigon o dir i greu meysydd tanio ac ymarferion eraill i'r milwyr hyn.

"Glaswellt Wembley ti'n ddweud? Dwi ddim yn siŵr am hynny. Synnwn i ddim nad ydyn nhw wedi palu'r cae hwnnw hyd yn oed ac wedi plannu tatws ynddo. Ti'n cofio'r posteri yna anfonon ni allan – 'Dig for Victory'? Dwi'n credu bod rhywbeth yn tyfu ar bob modfedd o bridd sbâr yn Llundain erbyn hyn," atebodd Aled gan chwerthin.

"Reit, dwi am bostio hwn rŵan a throi am adre. Mae hi'n hwyr," meddai William ar ôl ysgrifennu cyfeiriad 'PC Wood, Swyddfa Heddlu Llanyborth' ar yr amlen.

2

Jerome

ROEDD JEROME TOWERS wedi bod yn chwilio yn y babell am ei Feibl ers iddo glywed clychau eglwys Llanyborth yn estyn eu gwahoddiad i addoli yn y pentref.

Roedd Ail Adran byddin America wedi cyrraedd a sefydlu gwersylloedd ym mhob pen i bentref Llanyborth yr wythnos flaenorol. Un gwersyll i'r milwyr duon, fel Jerome, yn un pen i'r pentref a gwersyll arall ar gyfer y milwyr gwyn yn y pen arall.

Ar ôl dod o hyd i'r Beibl, cerddodd Jerome yn gyflym drwy'r rhesi trefnus o bebyll a mas o'r gwersyll i gyfeiriad y clychau i lawr yn y cwm.

Ar ôl munud arall o gerdded, tawodd y clychau a gwyddai Jerome ei fod am fod yn hwyr i'r gwasanaeth, felly dechreuodd redeg i lawr y cwm nes clywed llais y tu ôl iddo.

"Going to church, J?"

Edrychodd dros ei ysgwydd a gweld wyneb cyfarwydd Billy yn gwenu'n ôl arno. Roedd wedi cyfarfod Billy ar y cwch wrth groesi o America, ac wedi anghofio iddo addo mynd gyda'i gyfaill newydd i'r eglwys.

Cododd y Beibl. "The Lord awaits, Billy."

Rhedodd Billy heibio iddo a'i rasio i lawr i gyfeiriad yr eglwys.

*

Roedd y ddau wedi cyfarfod ar fwrdd y llong – cyfogi dros yr ochr oedd Billy ar y pryd o ganlyniad i'r salwch môr a ddaeth drosto wedi i'r llong ddechrau rowlio'n afreolus.

"Why are we going so fast? I feel sick the whole damn time," gwaeddodd Billy yn ei acen Mississippi wrth gystadlu â sŵn y gwynt a'r glaw ar fwrdd y llong.

"What if I ask the captain to slow down for you?" gwaeddodd Jerome yn ôl.

"Yeah, what's the hurry, ask him," awgrymodd Billy.

Gwenodd Jerome ar ôl clywed ei ateb. "We have to go faster than the German U-boats, my young friend – they're all swimming around us, way down under this mountain of water, like sharks! So if we slow down – for you and your seasickness – they'll torpedo us and we'll all be contemplating life at the bottom of this big cold sea!" Cynigiodd Jerome ei law. "My name's Jerome... pleased to meet you..."

Ysgydwodd Billy ei law cyn dechrau mynd yn sâl eto dros ochr y llong.

O'r foment honno, daeth y ddau'n ffrindiau da a chymerodd Jerome y bachgen dwy ar bymtheg oed o dan ei adain fel petai'n frawd iddo.

Ar ôl dyddiau lawer o hwylio'r Iwerydd ac osgoi melltith yr *U-boats* yn llwyddiannus, glaniodd y llongau enfawr yn orlawn o filwyr yng nghanol düwch y nos. Cludwyd miloedd ohonynt mewn cerbydau milwrol, drwy'r nos, a chyrraedd pentref Llanyborth cyn y wawr. Un orymdaith enfawr o beiriannau a dynion a dagodd y lonydd am filltiroedd lawer.

*

Yn ôl wrth yr eglwys, ar yr un pryd, roedd Lilly Harvey, un o ferched bach Llanyborth, hefyd yn hwyr, ac yn prysuro tua'r eglwys gyda'i mam.

"You think we'll be welcome here, J?" gofynnodd Billy yn frwdfrydig wrth iddynt agosáu at yr eglwys.

"Let's go and see."

Wrth gyrraedd iet yr eglwys, clywodd y ddau lais bach yn galw arnynt.

"Are you coming to my church?" gofynnodd Lilly.

"I would love to. What's your name, Miss? Can I go in with you to your church?" gofynnodd Jerome.

"I'm Lilly. Follow me," meddai'r ferch wrth arwain y ffordd.

*

Roedd ficer Llanyborth yn y sedd fawr ac wrth ei fodd gyda'r gynulleidfa, yn enwedig y ddau ymwelydd newydd, sef y Capten George Fairwater a'r Capten Todd Stone, dau Americanwr gwyn oedd wedi cael eistedd yn seddi Mr a Mrs Richards yn y tu blaen – anrhydedd arbennig er mwyn estyn croeso iddynt i Lanyborth.

"We are honoured today to be welcoming American friends to our midst. We are indebted to them and their country for joining us. They bring a ray of hope in these dark days."

Agorodd drws yr eglwys yng nghanol anerchiad y ficer a daeth Lilly, ei mam, Jerome a Billy i mewn ac eistedd yn dawel.

Ymdawelodd y gynulleidfa unwaith eto wrth i'r ymwelwyr hwyr gymryd eu lle.

Dechreuodd y ficer unwaith eto ond roedd yn ei chael hi'n anodd iawn canolbwyntio. Roedd y wên ar wyneb y Capten Todd Stone wedi diflannu ac yn lle mwynhau anerchiad y ficer roedd wedi mynd i syllu'n grac i gyfeiriad y ddau filwr du oedd newydd ddod i mewn.

Roedd Jerome wedi sylwi ar Todd hefyd. Nid oherwydd ei fod yn gwisgo lifrai milwrol – a phawb arall yn eistedd yn barchus mewn dillad dydd Sul – ond oherwydd yr edrychiad o gasineb ar ei wyneb. Oedd, roedd Jerome yn hen gyfarwydd â dynion gwyn yn edrych arno fel hyn.

Roedd Billy yn hen gyfarwydd â dynion fel hyn hefyd. "Shall we go, J?" sibrydodd yn nerfus yng nghlust ei ffrind.

"No, Billy, we're staying, he's not in Texas now and neither are we!"

Roedd y Capten Todd Stone yn gandryll. Cododd ar ei draed, uwchben pawb arall – a sefyll yn syth fel ceiliog y bore ar fin canu.

Edrychodd y ficer yn nerfus i gyfeiriad Todd a'i brotest. Edrychodd Todd ar y milwr gwyn arall yn y gobaith o'i ddenu yntau i brotestio yn yr un modd, ond doedd George Fairwater ddim am symud. Ar ôl iddo sylweddoli taw ef yn unig oedd yn protestio, rhoddodd y capten ei Feibl o dan ei fraich a cherdded yn gyflym am y drws.

Nid Todd yr Americanwr oedd yr unig un oedd wedi bod yn astudio Jerome Towers. Yr ochr arall i'r eglwys, roedd Sali Lloyd wedi bod yn syllu ar yr Americanwr tal a bonheddig. Roedd hithau, fel pawb arall yn y lle, wedi darllen y sefyllfa yn iawn. Roedd dyn gwyn wedi cerdded mas oherwydd bod dyn du wedi cerdded i mewn!

Arhosodd George Fairwater yn ei unfan a daeth hi'n amlwg i bawb nad oedd hwn yn teimlo yr un fath â'r Americanwr arall.

Brasgamodd Todd Stone, ar y llaw arall, tuag at ei jîp, yn grac fel cath wyllt ar stumog wag. Melltithiodd George Fairwater am beidio â cherdded mas yr un pryd ag ef, am beidio â'i gefnogi. Taniodd y cerbyd a gyrru'n galed oddi yno. Ar ôl rhyw filltir o yrru cofiodd ei fod wedi addo rhoi lifft yn ôl i George – ond na, wedi meddwl, fe gâi e gerdded!

Doedd heddiw ddim yn ddiwrnod da i Todd Stone. Fel pregethwr achlysurol ei hun gartref, gwyddai Todd y byddai'n gallu egluro gwerthoedd cymdeithasol cywir i'r trigolion lleol yma. Rhoi gwersi bywyd iddynt ar yr un pryd. Yn ôl gartref roedd gan y bobl dduon eu heglwysi eu hunain a'u hysgolion eu hunain hefyd.

Na, roedd yn rhaid sortio hyn allan, meddyliodd, a chael gair gyda'r awdurdodau priodol yn y fyddin – ac efallai cael sgwrs fach gyda'r ficer hefyd.

*

Y diwrnod canlynol, roedd y Capten George Fairwater newydd orffen goruchwylio'r milwyr dan ei ofal i lawr ar y maes tanio ar gyrion gorsaf y milwyr gwyn. Roedd hi'n ddiwrnod perffaith ar gyfer saethu, ond o edrych ar y targedau a'r wynebau llwm doedd y milwyr ddim wedi cael fawr o hwyl arni.

Ysgydwodd George ei ben wrth edrych ar y sgoriau isel ar y darn papur o'i flaen. Roedd llawer o waith gwella ar y rhain, meddyliodd, yn enwedig o gofio y byddai'n rhaid iddynt fynd i ymladd am eu bywydau ar y cyfandir cyn bo hir.

Daeth lorri fawr i gludo'r milwyr oddi yno, a chan nad oedd lle i bawb, penderfynodd George gerdded yn ôl, ar ei liwt ei hun, a mwynhau ychydig o awyr iach ar yr un pryd.

Wrth iddo baratoi i adael y maes tanio gwelodd wyneb cyfarwydd o'r eglwys yn gweithio'n brysur yn glanhau gynnau cyn eu gosod i'w cadw yn yr ystordy gynnau. Doedd Jerome ddim wedi gweld George Fairwater. Cerddodd George tuag ato er mwyn cyflwyno ei hun a chael sgwrs fach am yr hyn ddigwyddodd yn yr eglwys.

Cyn iddo ei gyrraedd, arafodd George wrth weld Jerome yn llwytho un o'r gynnau a'i godi'n reddfol at ei ysgwydd, anelu'n bwyllog a thanio'n gyflym ddwsin o weithiau at darged yn y pellter.

Cyrhaeddodd George wrth i sŵn yr ergyd olaf atseinio yn y cwm.

"Good afternoon."

Doedd Jerome Towers ddim yn disgwyl y cyfarchiad ond roedd yn adnabod wyneb y dyn yn syth. "Good evening, sir, I was just locking up for the day and before that I was checking one of the guns. I thought the sights were out earlier."

Cynigiodd George ei law. "Fairwater... Captain..."

Sychodd Jerome yr olew oddi ar ei ddwylo ac ysgwyd ei law. "Towers... Private, sir."

"Are you very familiar with guns, Private?"

Rhoddodd Jerome y dryll heibio a chloi'r drws mawr dur. "Yes, sir, very familiar with guns. I used to look after them back home for someone else. That's why they asked me to look after the shooting range."

"I'm sorry about what happened at the church, Private. What happened was out of order. I don't think we'll be seeing Captain Stone at church again."

"I don't want to cause trouble, sir, but I think you will be seeing Captain Stone at church – I'm the one who isn't going to church any more, not him."

"Why is that, Private? I'm sure you'll be welcome there. Who was your young friend, by the way?"

Gwenodd Jerome. "Billy. His name's Billy, he came with me from the camp. He's one of the younger soldiers, from Mississippi."

"No, Private, I meant your other little friend, the little girl."

Chwarddodd Jerome yn uchel. "She's called Lilly, sir, a girl from the village. But I won't be going back to church, they made sure of that."

"Why not, Private?" gofynnodd George.

Aeth Jerome i'w boced ac estyn darn o bapur swyddogol yr olwg. "I had this note from my sergeant this morning. Orders. It says I'm not to attend church with the local congregation on a Sunday."

Doedd George Fairwater ddim yn hapus. "That's a real shame, Private. I'm sorry about that."

Clywodd y ddau sŵn jîp yn agosáu gyda Billy'n gyrru. "Jerome, you done here yet? I wanna get back to base now."

Neidiodd Jerome i mewn a diflannodd y jîp mewn eiliadau.

Ar ôl i'r ddau fynd, cerddodd George draw at y targed y saethodd Jerome ato yn y pellter. O bell, doedd dim modd dweud, ond wrth agosáu gwelodd George fod Jerome wedi saethu pob un fwled yn grwn drwy'r canol.

Doedd George Fairwater erioed wedi gweld saethu o'r fath safon uchel o'r blaen.

3

Y Cyfarfod

YCHYDIG DDYDDIAU AR ôl ei brotest yng ngwasanaeth yr eglwys daeth y Capten Todd Stone i lawr i'r pentref gyda morthwyl a phoster yn ei law. Camodd o'r jîp yn hunanbwysig i gyd fel arfer a dechrau hoelio'r poster mawr ar yr hysbysfwrdd ger y siop.

Camodd Todd Stone yn ôl i danio sigarét ac edmygu ei waith. Roedd cymylau'n dechrau casglu yn yr awyr uwchben a chan mai jîp agored oedd ganddo, ac yntau'n awyddus i osgoi'r glaw, neidiodd i mewn a gyrru oddi yno cyn iddi ddechrau arllwys.

Daeth dwy fenyw ifanc i ddarllen y poster, sef Miss Beti Jones, trwyn y pentref, gyda'i gwallt du a lipstic coch trawiadol, a Hazel, ei ffrind blêr yr olwg. Er taw Hazel oedd y bertaf o'r ddwy o dipyn, doedd hi erioed wedi poeni rhyw lawer am ei hymddangosiad.

"Church Hall Tonight 7pm – The Sisters' Society will be welcoming Mrs Grace James, the Vicar's wife, who will be explaining how our ladies should behave towards our new friends from America."

"Reit… Gwell i ni fynd i hwn," meddai Miss Beti Jones wrth edrych ar y poster ac ar ei ffrind am yn ail. "Ond be allwch chi ei wisgo, Hazel?" gofynnodd wedyn, gan edrych arni'n ddilornus, fel petai hi ddim yn ddigon dibynadwy i wisgo'n addas.

"Rhain," meddai Hazel, gan sefyll yno yn ei het a chot wlân ac esgidiau oedd angen eu glanhau.

"Wel," meddai Beti gan rowlio'i llygaid. "Fi'n credu bod yn rhaid neud dipyn bach mwy o *effort* ar gyfer yr Americans!"

Gwenodd Hazel. Roedd hi'n amlwg yn mwynhau tynnu'n groes i'w ffrind. "Dim ond gwraig y ficer sy'n siarad – a siarad *am* y milwyr mae hi ta beth, dim siarad *gyda*'r milwyr. 'Sdim rhaid gwisgo lan fel... *show pony!*"

Anadlodd Beti'n hir cyn ateb. "Mae'n dweud '*Ladies*' – gwell i chi ddod draw i'r tŷ i fenthyca dillad addas cyn i ni fynd draw! So chi'n moyn embarasio pawb, y'ch chi?"

A chyda'r geiriau hynny, trodd Beti ar ei sawdl a cherdded oddi yno â'i thrwyn yn yr awyr.

Gwaeddodd Hazel ar ei hôl er mwyn cael y gair olaf. "'Sdim pwynt... *size* 10 ydw i – chi'n siŵr o fod yn 14 erbyn hyn."

*

Roedd Neuadd Eglwys Llanyborth yn estyniad o'r hen eglwys ac wedi ei hadeiladu yn ystod teyrnasiad y Frenhines Fictoria. Roedd iddi nenfwd uchel a 'Rule Britannia' wedi ei ysgrifennu ar hyd un o'r trawstiau mewn llythrennau aur, a'r rheiny wedi gwisgo gan oed. Yn y neuadd heno roedd rhyw gant o gadeiriau pren wedi eu gosod mewn rhesi taclus i wynebu'r llwyfan bach, a stepiau yn arwain iddo. Yn ystod y Nadolig deuai'r ysgol Sul i actio drama'r geni yma ond heno roedd drama dra gwahanol ar y gweill.

Ar y llwyfan roedd bwrdd mawr pren a dwy fenyw bwysig iawn yr olwg y tu ôl iddo, sef Grace James, gwraig y ficer, ac Audrey Davies, Cadeirydd Cymdeithas Chwiorydd Llanyborth, y ddwy'n gwisgo eu dillad gorau a gwraig y ficer mewn ffwr a brynwyd o Lundain. Roedd Jac yr Undeb yn hongian o flaen y bwrdd i ychwanegu statws a lliw i'r achlysur.

Yn gynharach y noson honno roedd y ficer a'r Capten Todd Stone wedi bod yn y neuadd yn gosod y cadeiriau. Syniad y ddau ar y cyd oedd cynnal y noson hon wedi'r cwbl. Yn ogystal â cheisio pregethu o'r pulpud ar y Sul roedd y ddau wedi cytuno taw syniad da fyddai recriwtio menyw uchel ei pharch i siarad â merched y plwyf. Daeth y ficer i'r casgliad taw ei wraig ei hun fyddai'r orau ar gyfer y dasg. Gyda help y sgript a baratowyd gan Todd, roedd y ddau'n hyderus yn ei gallu i roi arweiniad i ferched y fro.

Erbyn saith o'r gloch roedd y lle wedi llenwi â merched ifanc yr ardal yng nghwmni eu mamau ac ambell fam-gu. Roedd y ficer a Todd am fynd yn ôl i'r Ficerdy am ddiod a gadael y lle yn nwylo abl Grace James – gan taw ei sioe fach hi oedd hon. Cyn iddo adael, cyhoeddodd y ficer fod y cyfarfod ar fin dechrau a gorffennodd gyda'r geiriau, "Dwi am eich gadael yn nwylo Audrey a Grace – dwi mor lwcus i gael gwraig sy'n gallu… siarad yn gyhoeddus…" meddai, fel petai'n awgrymu taw hi oedd yr unig fenyw yn y byd fyddai'n gallu gwneud hynny.

Roedd y lle dan ei sang o ferched o bob oedran ac yn eu mysg roedd Hazel a Miss Beti Jones, gyda'i mam wrth ei hochr. Roedd Sali Lloyd, y ferch o'r eglwys, yno hefyd, ynghyd â'i ffrind gorau, Mari. Yno hefyd roedd Lilly Harvey, y ferch a groesawodd Jerome i'r eglwys y Sul blaenorol.

Yn y tu blaen roedd Clare Kelly – gwraig ifanc weddw a golwg flinedig arni – yn eistedd gyda'i phlant bach, Michael a Kevin. Hi oedd yr unig un o'r pentref oedd wedi colli ei gŵr yn y rhyfel ar y pryd. Yn ôl y sôn, Anthony Kelly oedd yr olaf i gael ei saethu yn Dunkirk. Cafodd fwled yn ei gefn wrth iddo geisio – a methu – llusgo ei hun ar y llong olaf. Roedd Clare wedi dioddef o iselder ysbryd byth ers hynny, a heno roedd y baich o fagu dau fab heb fawr ddim arian yn amlwg yn pwyso'n drwm arni.

Roedd ychydig o gynnwrf yn nhrydar y gynulleidfa wrth i Audrey gnocio'r bwrdd a chyflwyno Grace James.

"Pleser mawr yw cael cwmni Mrs James. Mae hi wedi bod yn siarad â'r awdurdode ar ran merched Llanyborth ac am adrodd yn ôl i ni heno am y milwyr sydd wedi dod o America. Felly croeso, Mrs James."

Cododd Mrs James i gyfarch y gynulleidfa. Roedd dau reswm gwahanol iawn yn gyfrifol am y niferoedd sylweddol o'i blaen.

Roedd y rheswm cyntaf yn ymwneud â'r awydd ymhlith merched sengl y fro i ddysgu mwy am y cannoedd o ddynion ifanc oedd wedi glanio mor ddirybudd, heb anghofio bod rhai golygus ag acenion Hollywood yn eu plith!

Wrth gwrs, roedd rheswm arall dros boblogrwydd y noson. Y tu ôl i'r rhesi blaen – lle'r eisteddai'r merched ifanc – roedd y mamau ac ambell fam-gu. Roedd y rhain wedi dod yno i ddysgu am y dynion newydd hefyd. Eisteddent gyda'u bagiau ar eu pen-gliniau, yn edrych yn ddifrifol iawn ac am gael gwybod pa oleuni fyddai gan Mrs James i'w gynnig ar y broblem o warchod eu merched rhag y dynion a'r temtasiynau newydd.

Cliriodd gwraig y ficer ei llwnc, a chafodd dawelwch yn gymharol rwydd. Aeth i'w phoced, tynnu darn papur ohoni a dechrau darllen. "Diolch yn fawr am y croeso. Yn gyntaf, dwi am ddelio â mater ymarferol sydd wedi codi, sef bod cyfle i ddeuluoedd yn y pentref gynnig llety i rai o'r milwyr pan nad oes lle iddynt yn y gwersylloedd."

Saethodd Beti Jones i fyny fel ceiliog a gweiddi ar draws yr ystafell, "Ma *spare room* 'da ni!"

Gafaelodd ei mam yn ei braich a'i thynnu i lawr gan weiddi yn ôl, "Na, 'sdim *spare room* 'da ni. Ond bydd un 'da ni cyn bo hir os ti'n cario 'mlân â dy nonsens."

Ar ôl i'r chwerthin dawelu, cariodd Mrs James ymlaen. "Mae croeso i bawb sydd â stafell sbâr gynnig eu henwau i'w rhoi ar y rhestr yma – bydd y milwyr yn talu rhent, wrth gwrs. Felly cyfle i wneud ychydig bach o arian a chynnig croeso cynnes iddynt."

Cododd Clare Kelly ar ei thraed yn sigledig a dweud mewn llais bach, "Dwi eisiau bod ar y rhestr. Bydd *spare room* 'da fi os daw'r bechgyn i mewn i gysgu 'da fi."

Anwybyddodd Grace hi, a rhoi gwên fach ffals cyn parhau. "Mae'n rhaid, ar yr un pryd, i'r cartrefi fod yn addas ar gyfer yr ymwelwyr. Er enghraifft, ni fydd merched sengl yn gallu cynnig lle i filwyr... am resymau amlwg!"

Roedd Clare Kelly wedi aros ar ei thraed. Edrychodd Mari a Sali arni a methu penderfynu ai blinder ynteu rywbeth mwy difrifol oedd yn gyfrifol am ei chyflwr bregus.

"Fi ddim yn sengl o ddewis. Golles i Anthony. Fi'n moyn bod ar y *list*... cyfle i wneud bach o arian."

Edrychodd Mrs James i gyfeiriad Audrey a'i llygaid yn dweud bod angen help arni, a bod angen i rywun hebrwng Clare Kelly mas o'r neuadd.

Trodd Sali Lloyd at ei ffrind wrth ei hochr a sibrwd, "Dyw hi ddim yn iawn, ydy hi, druan?"

"Na, ti'n iawn. Fi wedi clywed bod hi'n mynd heb fwyd fel 'i bod hi'n galler bwydo'r plant."

"Dwi'n meddwl bod angen doctor arni 'fyd," ychwanegodd Sali.

"Chi'n gwbod faint yw *widow's pension*?" gwaeddodd Clare yn uchel gan roi straen ar ei llais. "Tri deg pum swllt yr wythnos pan o'dd e'n fyw – a nawr *thirty two shillings* yr wythnos. Fi'n gofyn i chi – pa synnwyr sy mewn gwneud rhywbeth fel'na? Llai o arian ar ôl colli gŵr! Fi'n *desperate*, 'sdim arian 'da fi i edrych ar ôl y bois bach 'ma."

Dechreuodd Clare wegian a chododd Mari a Sali yn syth er mwyn ei dal cyn iddi syrthio.

Daeth Audrey draw i wneud ffys ond roedd Mari a Sali wedi cymryd yr awenau ac wedi perswadio Clare yn dawel i fynd mas o'r neuadd gyda'r ddwy ohonynt.

Wrth i Sali a Mari hebrwng Clare a'r bois mas drwy'r drws, daeth y ficer a Todd Stone yn ôl i mewn a sefyll yng nghefn y neuadd ar ôl clywed bod ychydig o drafferth wedi bod.

Wedi i'r gynulleidfa setlo unwaith eto, ailgydiodd Mrs James yn ei thasg. "Reit. Ymddygiad tuag at y milwyr. Mae gofyn bod yn serchus ond gofalus ar yr un pryd. Mae 'da ni filwyr gwyn a rhai duon hefyd."

Nodiodd Todd Stone ei anogaeth o gefn y neuadd. Roedd Todd wedi clywed y geiriau Cymraeg 'duon' a 'gwyn' sawl tro yn ystod ei sgyrsiau gyda'r ficer a'i wraig.

Dechreuodd Mrs James ddarllen o'r papur yn ei llaw. "O safbwynt y milwyr duon, os ydych chi'n cadw siop neu'n cynnal busnes mae hi'n dderbyniol gweini arnyn nhw unwaith ond wedyn, ar ôl gwneud hynny, mae hi'n dderbyniol hefyd i chi ofyn iddynt beidio â dod yn ôl."

Edrychodd Mrs James ar y dorf dros ei sbectol cyn parhau. "Os oes milwr du yn cerdded i lawr y stryd tuag atoch, croeswch i'r ochor arall i'w osgoi. Un neu ddau o bethau bach eraill cyn i fi orffen: peidiwch â chynnal perthynas â'r milwyr duon, er y dylech fod yn serchus wrth wrthod cymdeithasu â nhw. Ac yn olaf – peidiwch â'u gwahodd i'ch tai. Fe fyddai hynny'n gamgymeriad mawr."

Gan nad oedd y gynulleidfa'n disgwyl clywed araith o'r fath fe aeth rhai i siarad yn anniddig â'i gilydd. Roedd hyd yn oed Lilly, y ferch fach, wedi deall arwyddocâd y geiriau ac yn edrych yn siomedig.

Gwaeddodd un o'r merched o'r seddi blaen, "Mae Dad yn gweud bod y milwyr duon yn bobol ffein iawn, ac wedi newid teier 'i gar e ar ôl iddo fe dorri i lawr."

Daeth llais arall o'r cefn. "Ody, mae hi'n gweud y gwir. Mae un wedi bod draw 'co am swper ac fe nath e siarad yn gartrefol drwy'r nos."

Doedd gan Mrs James ddim ateb i hyn ac edrychodd i gyfeiriad ei gŵr a Todd Stone am ysbrydoliaeth.

"Maybe, Captain Stone, you might be able to shed some light on the social behaviour towards black soldiers?" gofynnodd y ficer wrth gamu i mewn er mwyn achub ei wraig.

Camodd Todd ymlaen gyda gwên ar ei wyneb a cherddediad dyn oedd wedi hen arfer siarad yn gyhoeddus.

"Thank you, Mrs James, for your speech, which sounded very eloquent. I'm sure I speak for all of us when I say that. And yes, I'm very happy to explain further as I have lived alongside the negro for many years."

Doedd neb yn y dorf, heblaw'r ficer, yn gwenu wrth glywed y gair *negro*.

"The first piece of advice I would give is to be sympathetic in your mind towards the coloured man, basing your sympathy on a knowledge of his problem and his weaknesses.

"And the second matter lies at the root of everything: white women should not associate with coloured men. Back home, respectable white women do not walk out, dance or drink with them. It is not unsociable to refrain. The truth is that they do not expect your companionship and such relations would, in the end, only result in big social problems for your very precious Welsh society."

Cododd Mrs Harvey, mam Lilly, ar ei thraed i siarad. "But some of them have been kind to us – what if we like them and they offer to help us? What do we say?" gofynnodd cyn eistedd.

"Ah yes! There are many coloured men of high mentality and cultural distinction but generally they are of a simple mental outlook. And that is what we are dealing with here."

Penderfynodd Todd fynd am dro bach o gwmpas y llwyfan, gan gamu'n hyderus fel pregethwr. "You see – back home they work hard when they have no money and when they have money they prefer to laze around and do nothing until it is gone. In short, my Welsh friends, they don't have the white man's ability to think and act to a plan. Their spiritual outlook is romantic and, like a family pet, they seek and crave attention."

Trodd wyneb Todd yn ddifrifol wrth iddo grynhoi ei neges:

"But remember this, some of them are natural psychologists, they can size up a white man's character and can take advantage of a weakness. Too much freedom, you see. So I'm calling on you to join with us and make sure that we all live alongside each other in happy but separate lives."

Gorffennodd Todd gyda gwên fawr nawddoglyd, er taw dryswch ac amheuaeth oedd ar wynebau'r rhan fwyaf o'r dorf a eisteddai o'i flaen.

Camodd y ficer ymlaen, gan iddo deimlo bod yr amser wedi dod i ddwyn y noson i'w therfyn. "Thank you most sincerely for your talk, Captain Stone. Most enlightening. We shall now sing 'God Save the King', as is our tradition on evenings like this."

Cyn i'r dorf ddechrau canu, cododd Lilly Harvey â'i phen bach melyn o'i chadair a cherdded yr ychydig gamau at y llwyfan. Camodd i fyny'r stepiau ac i ganol y llwyfan cyn troi at y gynulleidfa.

"Beth yw hyn? Oes rhywun wedi gofyn iddi hi gloi'r noson?" gofynnodd y ficer wrth edrych i gyfeiriad Audrey, y trefnydd, ond fe arhosodd hi'n fud ac ysgwyd ei phen.

Roedd yn rhaid i ambell un yn y cefn godi oddi ar eu seddi i weld Lilly wrth iddi ddechrau siarad.

"Mae Mam a fi," meddai, cyn ailadrodd y geiriau, "Mae Mam a fi wedi cyfarfod dau o'r dynion duon. Ac maen nhw'n ffrindiau â ni nawr ac wedi dod draw i gael cinio dydd Sul… on'd do fe, Mam?" gwaeddodd Lilly ar draws y neuadd.

Cochodd ei mam a gwenu'n gefnogol iawn yn ôl.

"Mae Mam a fi wedi bod yn edrych yn y Beibl i weld be mae Duw ac Iesu Grist yn ddweud am bobol dduon."

Ceisiodd y ficer gamu i mewn a siarad drosti. "Wel! Cwestiwn da. Mae'r Beibl yn dweud…"

"Gadewch iddi siarad," daeth y waedd o'r dorf, ac fe dawelodd y ficer.

Aeth Lilly i'w phoced, tynnu nodyn bach mas a'i agor. Edrychodd y ficer dros ei hysgwydd i geisio gweld beth oedd ar y darn papur.

Yn glir fel cloch, darllenodd Lilly y geiriau.

"Llyfr Ioan: 'Na fernwch wrth y golwg; eithr bernwch farn gyfiawn.'"

Aeth y lle'n dawel fel y bedd wrth i Lilly blygu'r papur a'i roi yn ôl yn ei phoced cyn dechrau cerdded am y stepiau.

Wrth iddi gamu i lawr o'r llwyfan daeth clap o werthfawrogiad gan un o'r dorf ac yna un arall gan rywun o'r cefn. Fel cawod o genllysg dechreuodd y gymeradwyaeth dyfu'n araf nes bod bron pawb yn unfrydol yn clapio eu gwerthfawrogiad i'r ferch fach.

Doedd meddwl y ficer ddim digon chwim i ddod o hyd i ryw linell o'r Hen Destament i droi'r gynulleidfa yn ôl a bu'n rhaid anghofio hefyd am y traddodiad o ganu'r anthem Brydeinig gan fod pawb wedi cymryd geiriau Lilly fel y weithred olaf ac wedi estyn eu cotiau i fynd gartref.

*

Yn y cyfamser, roedd y Blue Anchor yn brysur iawn. Y tu fas i'r dafarn roedd car Bentley *sports* coch wedi ei barcio ac yn denu sylw pawb oedd yn pasio.

Yng nghornel bellaf y dafarn, nesaf at danllwyth o dân, eisteddai perchennog y car – Ffred Lloyd, neu Wncwl Ffred i'w nith, Sali Lloyd. Roedd Ffred wedi trefnu cyfarfod dyn cefnog yr olwg mewn siwt *pinstripe*, dyn o'r enw Howard. Roedd Ffred ei hun yn gwisgo siwt frown gyda hances sidan goch yn ei boced flaen ac esgidiau Oxford *two-tone* am ei draed.

"Chi'n mynd 'nôl i Abertawe heno?" gofynnodd Ffred wrth ysgwyd ei law.

"Odw. Syth 'nôl ar ôl y cyfarfod 'ma. Beth sydd 'da chi i fi 'te?" gofynnodd Howard gan edrych i lawr ar y ces brown wrth draed Ffred.

"Y peth cyntaf fi angen gweud – a fi'n gweud hyn wrth bawb – yw bod popeth dwi'n neud *above board...*" atebodd Ffred wrth estyn y ces a'i roi ar y ford. "Wel... bron iawn popeth," meddai wedyn gan wincio.

Edrychodd o'i gwmpas i sicrhau nad oedd neb arall yn gwylio cyn clicio cloeon y ces ar agor. Agorodd y caead a throdd y cynnwys lliwgar i wynebu Howard.

Roedd yr olygfa yn un brin adeg rhyfel. Sigaréts amrywiol: Camel, Chesterfield, Pall Mall a bocsaid o Lucky Strike gwyrdd. Paceidiau o goffi o Frasil, paceidiau o sanau sidan Ballito i ferched, sawl math o siocled a photeli wisgi a jin.

"Wow!" dywedodd Howard, ychydig yn rhy uchel i fod wrth fodd Ffred; bu'n rhaid i hwnnw gau'r caead er mwyn tawelu ei gwsmer.

"*Samples* yw'r rhain," sibrydodd wrth ailagor y caead yn araf. "*Samples* i chi gael gweld be sy 'da fi i werthu. Wedyn cewch chi ddewis be chi moyn ac fe wna i *delivery* bach!"

Byddai Ffred yn ailadrodd y broses hon gyda phob un o'i gwsmeriaid. Casglu archebion ac yna mynd i lawr i wersylloedd milwrol Americanaidd yn ne Lloegr i fargeinio am y prisiau gorau cyn dod yn ôl i werthu i'w gwsmeriaid a gwneud elw mawr yn y broses.

*

Mewn cornel arall o'r dafarn roedd tri o ddynion ifanc y pentref yn edrych yn ddigon llwm. Roedd Marc Gilly yn fachgen tal mewn cap stabal ac yn un o'r meibion fferm lleol. Nesaf ato fe roedd Richard James – dyn ifanc cyhyrog ond blin yr olwg, a mab y ficer. Yr olaf oedd Harri Cashman – ei wallt coch yn teneuo'n barod er mai dim ond ugain oed ydoedd. Roedd y tri'n eistedd o amgylch bord gron yn syllu ar wydrau gwag a dim arian i brynu mwy yn eu pocedi.

"Edrycha ar y Ffred 'na – tei ffansi a *sports car* coch tu fas. Wrthi'n gwerthu a phrynu," dywedodd Gilly. "Gwneud arian mas o'r rhyfel."

Edrychodd Harri yn gam arno. "Gwneud arian mas o'r rhyfel? Ond faint o *compensation* y'ch chi ffermwyr yn 'i gael gan y War Office am *requisitioned land*?"

Bu bron i Harri syrthio oddi ar ei stôl pan glywodd Gilly yn sôn am £60 yr acer, ond torrodd Richard James ar ei draws cyn iddo egluro'n iawn.

"Dim o dy fusnes di, Cashman. Ni'r ffermwyr sy wedi gorfod rhoi lan 'da'r *foreigners* o America yn dwgyd ein tir ni, ac wedi colli tir pori'r anifeilied. Mae rhai teuluo'dd wedi gorfod symud mas o'r ardal yn gyfan gwbl, a 'sdim dal shwt fath o gawl bydd y diawled yn 'i adael ar eu hôl."

Agorodd y drws a daeth Todd Stone i mewn i'r dafarn fel corwynt, yn edrych fel pe bai eisiau diod arno.

"Double scotch," meddai wrth y perchennog. Edrychodd o'i gwmpas a dal llygad Harri Cashman wrth wneud.

"Can I join you guys? Can I stand you a drink?" gofynnodd Todd gydag arian yn ei law.

"Yes, please. A pale ale and one for later?" meddai Harri, gan ateb cyn neb arall. Roedd gan Harri'r gallu i fynd i'r dafarn heb geiniog yn ei boced a chyrraedd gartref wedi meddwi ar gorn pawb arall.

Daeth Todd yn ôl â llond gwlad o ddiodydd i'r tri, a setlo i lawr ar stôl. "Drink up!" gwaeddodd gan osod sawl peint a sawl gwydraid o wisgi o'u blaenau.

"You're the vicar's son, aren't you?" gofynnodd Todd i Richard James.

"Yes. I'm not a man of the cloth myself though!" meddai Richard James gan rowlio sigarét. Saethodd ei dafod bach pinc mas a llyfu'r papur rhwng ei fysedd. "My father says you're going to be giving a sermon in church on Sunday," meddai wrth roi'r sigarét y tu ôl i'w glust at nes 'mlaen.

"Yes, I'm going to be educating your people about the ways of the black men!" atebodd Todd.

Ar yr union adeg honno, clywsant sŵn drws y dafarn yn agor wrth i Billy a Jerome gerdded i mewn a mynd i eistedd at Howard a Ffred yn y gornel.

Aeth Richard i beswch chwerthin â sŵn smociwr trwm arno wrth i eiriau Todd ac ymddangosiad y ddau filwr du gyd-ddigwydd.

"They have a dance tonight," meddai Todd o dan ei wynt. "And I don't think you local men are invited... are you?"

"No," atebodd Harri Cashman. "We haven't heard," dywedodd wrth fynd i nôl y sigarét roedd Richard wedi ei rhoi y tu ôl i'w glust. Fe'i taniodd cyn i Richard gael cyfle i wrthwynebu. Doedd Harri ddim yn credu mewn prynu sigaréts chwaith! "What kind of dance?" gofynnodd wedyn wrth anfon cwmwl o fwg i ganol yr ystafell.

"A dance at their camp. I've been at the Church Hall tonight in a meeting. Telling the women of your village to keep away from them, but they're not listening... I think it's up to the men of this place to make a stand. They're stealing your women. Wake up!" Cododd Todd i adael ac meddai, "Here's a pound towards your drinking fund – I recommend the scotch. I have to go back to base."

Rhoddodd Todd bapur punt ar y bwrdd a suddo ei wisgi. "By the way, I saw your policeman in the street just now and I've told him about that spiv over there..." Nodiodd Todd i gyfeiriad Ffred Lloyd yn y gornel. "I've told the policeman that he's a bootlegger... so expect some fireworks when he comes in."

"What's a bootlegger?" gofynnodd Gilly, gan sipian y gwydraid o wisgi o'i flaen.

"Smuggling some of that stuff you're drinking illegally," atebodd Todd cyn mynd mas drwy'r drws.

"Chi'n meddwl cawn ni wahoddiad i'r ddawns?" gofynnodd Harri i'w gyd-yfwyr.

"Na, glywest ti'r dyn 'na – 'you're not invited'! Moyn merched Llanyborth ma'n nhw, dim y dyn'on," meddai Gilly.

Aeth y tri'n dawel am funud neu ddwy cyn i Harri ddweud ei farn unwaith eto. "Ma'n nhw'n gweud bod y bois du yn fois ffein," dywedodd, gan wybod y câi lond pen am ddweud.

"Ca' dy ben," meddai Richard a chodi i fynd at y bar gyda'r papur punt yn ei law i nôl mwy o ddiodydd.

Ar ôl rownd arall roedd y tri wedi dechrau meddwi, a Richard James yn dala i fod y mwyaf blin o'r tri. "Edrycha ar y ddau 'na. Fe ddwedodd PC Wood fod soldiwrs America yn ennill pedair gwaith cymaint â'n bois ni. Hyd yn oed y rhai duon. A heno, blydi parti, a merched Llanyborth yn ca'l mynd, a ni'n gorfod aros fa'ma!"

Cofiodd Harri rywbeth go sylfaenol am ei ffrind meddw. "Mae 'da ti wraig, Richard! Pam ti'n poeni?"

Atebodd Gilly drosto. "Joio *window shopping* mae Richard – on'd taw e, Richard?"

"Na, Eirian sy'n siopa. Dim fi. Chi bois yn colli'r pwynt!"

*

Ar ôl gorffen taro'r fargen, cododd Howard o'i gadair a gadael Ffred yng nghwmni Jerome a Billy. Wrth iddo fynd mas drwy'r drws daeth PC Wood i mewn a bron bwrw yn ei erbyn, ei wyneb fel taran. Anelodd yn syth at Ffred.

"Noswaith dda, PC Wood," dywedodd Ffred yn barchus.

"Dim ots am hwnna nawr. Ma rhywun wedi dweud wrtha i bo chi'n *bootlegger* – chi'n gwbod… gwerthu alcohol yn *illegal*."

Ceisiodd Ffred edrych yn ddiniwed. "Fi, PC Wood –
bootlegger?"

Roedd Jerome wedi deall y cyhuddiad gan fod y geiriau'n
gyfarwydd iddo, ac fe aeth i amddiffyn Ffred gyda gwên fawr.

"PC Wood… back home they call it bootlegging but in
Llanyborth we can call it hospitality… Hey, he's a business man,"
meddai a chodi ei law i dynnu sylw at Ffred yn ei siwt smart.

Gwenodd Ffred i gydnabod y deyrnged.

"Beth sydd yn y ces 'na wrth eich traed chi 'te?" holodd PC
Wood, yn gwrthod cael ei dynnu gan eiriau canmoliaethus yr
Americanwr.

"Anrheg fach i'ch gwraig, PC Wood. Dyna sydd yn y ces.
Steddwch am funed…" awgrymodd Ffred gan wthio cadair
wag Howard rhyw fodfedd i'w gyfeiriad â'i droed. "Beth am ga'l
sgwrs fach am hyn? Dwi'n siŵr fod isie anrheg ben-blwydd fach
ar 'ych gwraig… neu rywbeth at y Nadolig, falle?"

4

Lleisiau Angylion

CYRHAEDDODD TODD STONE yr eglwys ddeng munud cyn pawb arall ar gyfer y gwasanaeth. Roedd wedi dod yn gynnar er mwyn rhoi anrheg fach i'r ficer. Parsel bach i ddweud diolch, ac yn y parsel ychydig o nwyddau fel arwydd o'i werthfawrogiad o'r gymwynas. Cerddodd ar hyd y carped coch a mynd i gyfeiriad y ficer, a safai wrth yr allor. Uwchben yr allor roedd ffenest fawr hynafol a lliwgar.

Roedd Mrs Brown, yr organyddes dew a rhadlon, yn chwarae ambell nodyn ac yn paratoi am yr emynau pan welodd hi Todd yn cerdded heibio, ac fe sylwodd ar y parsel bach diddorol iawn o dan ei fraich.

Wrth iddo agosáu at yr allor, tarodd haul y bore ar y ffenest a'i dangos yn ei holl ogoniant. Ynddi roedd delwedd drawiadol o Iesu Grist yn syllu i lawr gyda llygaid gleision hudolus a threiddgar.

"Ah! Welcome again, Captain Stone. My wife sends her regards, and she says you should call around for tea any time."

Ond roedd Todd Stone fel petai mewn breuddwyd ac wedi cael ei sugno i mewn gan lygaid yr Iesu uwch ei ben.

Chwythodd y ficer y fatsien yn ei law a chreu cwmwl bach o fwg. "You must never stare into the eyes, Captain... I never do!"

Fe gymerodd Todd sawl eiliad cyn dod ato'i hun yn iawn. "Yes, sorry. Good morning, vicar, thank you for your hospitality the other evening. This is for you... a small gift."

Roedd Mrs Brown yn drwyn i gyd ac yn gwylio'n eiddgar wrth i'r parsel newid dwylo. Diolchodd y ficer iddo a mynd â'r pecyn i'w ystafell fach bersonol yng nghefn yr eglwys.

O fewn munudau roedd y ficer yn agor y parsel i weld beth oedd ei wobr am gytuno â'r trefniant newydd o wahardd y milwyr du. Siocled Americanaidd, saith pecyn o sigaréts, sebon a sanau sidan. Ond heb yn wybod iddo, roedd Mrs Brown wedi sleifio i mewn y tu ôl iddo ac wedi ymestyn dros ei ysgwydd a gafael yn y sanau sidan. Trodd Mrs Brown oddi yno â'i gwobr yn ei llaw.

"Mrs Brown, I've got my own plans for those. Dewch yn ôl," gwaeddodd y ficer ar ei hôl, ond roedd Mrs Brown wedi hen fynd ac wedi cyrraedd ei lle arferol wrth yr organ i baratoi at y gwasanaeth.

Taniodd y ficer un o'r sigaréts Americanaidd newydd a chwythu mwg yn uchel tua'r to, fel pe bai'n eistedd mewn sinema yn disgwyl gweld ffilm.

Arhosodd am ychydig funudau er mwyn caniatáu digon o amser i'r gynulleidfa setlo. Disgwyliai'r ficer weld cynulleidfa dda, mwy nag erioed o'r blaen efallai. Roedd bonws bach ychwanegol yn eu haros heddiw – roedd Todd wedi cynnig pregethu.

I sŵn nodau dwys yr organ ar ei thawelaf, cerddodd y ficer mas gan ddisgwyl gweld wynebau ei dorf ffyddlon, ond roedd y lle'n wag. Y cyfan a welai oedd Todd Stone ar ei ben ei hun a dechreuodd Mrs Brown chwerthin cyn pwmpio'r organ i chwarae 'Ymdeithgan Briodasol' Mendelssohn i ddathlu.

*

Ar yr un pryd yng Nghapel Gilead, nid nepell o'r eglwys, roedd hi'n dawel hefyd, ond math arall ar dawelwch oedd yn y fan honno. Tawelwch gweddi ar ddiwedd gwasanaeth. Tawelwch hefyd oherwydd fod y Parchedig Evan James wedi gofyn am ddistawrwydd i weddïo dros y milwyr oedd yn ymladd yn yr Eidal. Roedd pawb wedi ufuddhau a phob llygad yn y lle wedi'u cau.

Safai'r Parchedig yn y sedd fawr o flaen ei braidd. Fel pawb arall, roedd wedi cau ei ddwy lygad ond roedd rhywbeth unigryw wedi digwydd heddiw. Roedd y gweinidog ar dân eisiau edrych er mwyn atgoffa ei hun o'r olygfa anhygoel o'i flaen.

Agorodd ei lygad dde ychydig, dim ond digon i edrych yn gyflym cyn ei chau eto. Dyna nhw – ei ffyddloniaid, oddeutu hanner cant i gyd, meddyliodd.

Yna, yn dawel bach, agorodd ei lygad arall – a gweld cynulleidfa dra gwahanol. Yno roedd golygfa na fyddai ei gyfeillion yng nghynhadledd nesaf y Methodistiaid Calfinaidd byth yn ei chredu. Cynulleidfa Eglwys Llanyborth yn ei chyfanrwydd – yn gotiau ffwr a hetiau crand – oll wedi ymgynnull yno mewn protest yn erbyn hiliaeth y ficer, yn ôl y sôn. Pwy oedd y Parchedig i ddadlau? Efallai y deuai tipyn mwy nag arfer yn y casgliad hefyd.

Ond nid dyna'r cyfan. Ar ôl edrych drwy'i ddwy lygad ar ei gynulleidfa, edrychodd y Parchedig tua'r nefoedd. Yno, yn y galeri uwch ei ben, roedd môr o wynebau du – tyrfa ohonynt. Llwyth o ddynion ifanc – digon o filwyr i ddechrau rhyfel, meddyliodd. Oedd, roedd heddiw'n ddiwrnod y byddai'n cofio amdano am byth.

Cyn i'r Parchedig gyhoeddi'r emyn olaf, teimlodd rywun yn tynnu ar ei siaced. Edrychodd i lawr a gweld Lilly Harvey, un o ferched y pentref, a hithau'n amlwg eisiau sibrwd neges yn ei glust.

Trosglwyddodd y Parchedig ei neges yn bwyllog.

"Yn olaf, mae ein ffrindiau o America am ganu cân."

Dechreuodd oddeutu dri chant o'r milwyr ganu anthem y caethweision – 'Swing Low'.

Mae gen i gôr o angylion, meddyliodd y Parchedig.

Swynwyd pawb gan brydferthwch y gân a thynnwyd ar dannau eu calonnau wrth i'r nodau melfedaidd ledu drwy'r ffenestri ac i strydoedd a chwedloniaeth y pentref y tu hwnt.

1945

5

Sali Lloyd

"MAE BLODAU'N BWYSIG," dywedodd Sali wrthi hi ei hun a rhoi un yn ei gwallt wrth gau drws y tŷ a mentro mas am y tro cyntaf ers amser maith.

"Hei, ti'n mynd am dro?" gofynnodd Mari ei ffrind wrth basio.

"Odw, mynd am awyr iach! Gwela i ti nes 'mlân," gwaeddodd Sali yn ôl.

Cerddodd drwy'r pentref ac i fyny'r bryn i lonyddwch y wlad y tu hwnt. A hithau'n gwisgo ei hunig wisg haf ac wedi taro brwsh drwy ei gwallt, edrychai fel unrhyw ferch ifanc arall, ond eto roedd un peth gwahanol iawn amdani.

Doedd dim byd yn anghyffredin am ei chroen gwelw, ei gwallt hir sinsir nac ychwaith y trwyn bach twt; yr hyn a drawai rywun am y ferch hon oedd ei llygaid. Roedd ganddi lygaid llwyd hudolus ac unigryw. Roedd y rhain yn llygaid i swyno, llygaid i dorri calon neu i doddi enaid; llygaid i hiraethu amdanynt a hel breuddwydion hefyd.

Trwy gydol y gaeaf roedd hi wedi cario'r babi'n dawel bach wrth iddo dyfu yn ei chroth. Dim ond Mari, ei ffrind gorau a'i chyfaill ers ei phlentyndod, oedd yn gwybod amdano. Doedd hyd yn oed ei mam ei hun ddim wedi sylweddoli taw babi oedd yn gyfrifol am y cynnydd yn ei phwysau.

Ganed Tomos yn nhŷ Mari un noson, toc ar ôl y Nadolig, heb yn wybod i fawr neb, ond fe achosodd y babi newydd fwy o gynnwrf yn Llanyborth na digwyddiadau olaf y rhyfel hyd yn oed, a hwnnw'n tynnu at ei derfyn ar y cyfandir.

Yn draddodiadol, ar ôl geni plentyn yn Llanyborth byddai pob rhiant newydd yn cerdded y newydd-ddyfodiad o un pen y pentref i'r llall. Gorymdaith mewn pram mawr yn llawn balchder. Cyfle i bawb ddod i weld wyneb pinc a chrychlyd sgrechgi bach diweddaraf y pentref. Ond doedd Tomos ddim wedi cael y fraint honno oherwydd bod Tomos yn wahanol i bob babi arall yn Llanyborth.

Ar ôl ei eni, aeth y si ar led fod merch ifanc ddibriod Efa a John Lloyd wedi cael babi ac wedi llwyddo i gadw'r holl beth yn gyfrinach. Ac yn fuan wedyn daeth si arall, hyd yn oed yn well, sef bod Sali Lloyd wedi cael babi brown.

Yn ogystal â'r cywilydd cymdeithasol o gael babi tu fas i briodas, roedd Tomos wedi ei eni mewn pentref lle roedd pawb yn wyn eu lliw, ac felly roedd hi wastad wedi bod.

Sibrydion a gafwyd ar y cychwyn. Roedd y cymdogion mwyaf busneslyd wedi dechrau segura ar y palmant y tu fas i dŷ Mr a Mrs Lloyd. Safent o gwmpas yn esgus eu bod ar ganol sgwrs, yn glustiau i gyd yng nghyffiniau'r tŷ, gan obeithio gweld neu glywed rhywbeth drwy'r ffenest neu'r drws. Casglu clecs oedd y nod, a bod y cyntaf i gario unrhyw newyddion i weddill y pentrefwyr.

Ond heddiw, roedd y cyfnod anodd hwnnw y tu ôl iddynt i gyd wrth i Sali fentro mas i wynebu'r byd mawr ac anadlu ychydig o awyr iach.

Teimlai haul caredig y gwanwyn ar ei hwyneb ac o'i blaen gwelai gaeau o haidd melyn yn chwifio'n ufudd yn yr awel ysgafn. Roedd y rhain yn llawn atgofion. Atgofion o'i chyfnod yng nghwmni Jerome. Ers iddo adael, nid aeth yr un awr heibio heb iddi ei gofio yn llawn emosiwn a dynnai ddeigryn i'w llygad bob tro.

Roedd y rhyfel wedi taflu cysgod ar flynyddoedd ei hieuenctid, ond heddiw, a'r haul yn disgleirio, roedd ei hysbryd wedi codi. Oedd, meddyliodd, roedd pethau'n well, ac o'r diwedd roedd ei mam wedi derbyn bod Tomos am gael aros ac am fod yn rhan barhaol o'r teulu.

Syniad ei mam oedd iddi fynd am dro ac oedd, roedd Sali am gyhoeddi i'r byd, neu o leiaf i bobl Llanyborth, ei bod hi 'nôl a'i bod am wynebu'r dyfodol yn hyderus unwaith eto.

Ar ôl deng munud o gerdded, trodd Sali ac edrych yn ôl dros y pentref. Roedd Llanyborth yn llonydd fel carden bost heddiw. Yr ysgol gynradd, y garej betrol, tafarn y Blue Anchor, Siop Teg, y capel, yr eglwys a'r ficerdy mawr gerllaw. Wedyn tua cant o dai, mawr a bach. Y cyfan mewn cwm gydag afon yn llifo drwy'r canol. Ar wahân i ambell gwmwl yn yr awyr las uwchben, yr unig beth arall oedd yn symud yn y pentref oddi tani oedd trên bach yn dod yn y pellter.

Ar ôl edmygu harddwch yr olygfa am ychydig mwy, trodd Sali tuag adre. Teimlodd ias o hiraeth yn rhedeg drwyddi wrth iddi gofio am Tomos yn ôl yn y tŷ.

Wrth iddi agosáu at y pentref, cofiodd y noson pan fu hi'n llefain drwy'r nos ar ôl arwyddo'r papurau mabwysiadu. Wedyn daeth y frwydr i'w gadw. Cofiodd y noson y daeth y cwpwl dierth i'r tŷ a hithau'n ystyfnigo, gan gloi ei hunan a Tomos yn yr ystafell a gwrthod dod mas.

Daeth ton anesmwyth drosti wrth iddi gofio bod y darn papur mabwysiadu hwnnw'n dal mewn bodolaeth yn rhywle – er gwaethaf ei hymdrechion i ddod o hyd iddo drwy chwilio ym mhob twll a chornel o'r tŷ.

Aeth heibio adfail tŷ bychan o'r enw Bodalaw, a'r lle wedi mynd â'i ben iddo ers dros bymtheng mlynedd. Cofiai Sali am yr olaf o'r trigolion fu'n byw yno – Neli Tomos.

Roedd Neli wedi marw ers blynyddoedd, ond yn ôl y stori, pan oedd Neli'n ferch ifanc ddibriod aed â'i babi hi'n ddisymwth oddi arni yn syth ar ôl iddo gael ei eni. Methodd hithau wedyn â dygymod â hynny am weddill ei hoes. Byddai Neli i'w gweld yn crwydro Llanyborth yn ei byd bach ei hunan ac yn siarad fel enaid ar goll, yn druenus a dryslyd. Oedd, roedd Sali'n falch ei bod hi wedi llwyddo i osgoi'r bywyd a gafodd Neli Tomos. Pwysau gan yr eglwys oedd wedi llusgo babi Neli Tomos oddi arni ac yn Llanyborth roedd llawer yn byw o dan gysgod yr eglwys – yn enwedig Efa Lloyd, mam Sali.

Doedd Sali ei hunan ddim yn siŵr oedd yna Dduw, ond yng nghanol ei thrafferthion mwyaf roedd hi wedi adrodd gweddi ta beth – gweddïo y byddai Duw yn ei helpu i gadw'r babi. A heddiw, am iddi lwyddo i wneud hynny, roedd hi'n fodlon ystyried y posibilrwydd fod yna Dduw wedi'r cwbl.

Wrth iddi gyrraedd y pentref, cofiodd Sali fod ei thad wedi bod yn dawelach nag arfer heddiw, er nad oedd dim syniad ganddi pam. Blinder, neu rywbeth ar ei feddwl. Neu efallai taw effaith y ffrae a fu rhyngddo fe a'i mam gyda'r nos neithiwr. Er na wyddai Sali beth achosodd y ffrae, roedd popeth i'w weld yn well erbyn heddiw, ac eithrio tawelwch ei thad.

Pigodd Sali ychydig o flodau gwyllt o'r cloddiau yn y gobaith o gasglu digon i wneud tusw bach ar gyfer y jwg wag yn ffenest y gegin. Roedd hi'n hoff o'i chartref ac wedi byw yn yr un tŷ ar hyd ei hoes. Lle hapus ydoedd, yn llawn dathliadau ac atgofion teuluol: y Nadolig a'r Flwyddyn Newydd, yn fwrlwm o fynd a dod bob amser.

Cofiodd iddi chwerthin wrth i'w mam awgrymu y gallai ei thad ymuno â'r Home Guard er mwyn helpu'r achos, ac yntau yn ei hateb drwy ddweud y byddai'r Almaenwyr yn cael llawer mwy o ofn o'i gweld hi mewn iwnifform na fe.

Roedd ei mam wedi bod yn fyddar ers iddi golli ei chlyw i lid yr ymennydd pan oedd yn ugain oed. Fe ddysgodd ddarllen gwefusau a gweiddi siarad, gan roi'r argraff ei bod yn araf ei meddwl, ond roedd pawb o'i chwmpas yn gwybod nad oedd dim byd coll ynglŷn ag Efa Lloyd.

Wrth i Sali gyrraedd y tŷ clywodd bwffian trên Abertawe

yn agosáu at yr orsaf gerllaw. Trodd ei hallwedd yn y clo a chamu i mewn i dŷ anarferol o dawel.

Prysurodd Sali drwy'r tŷ yn disgwyl gweld neu glywed bwrlwm y teulu, ond y cyfan a welai oedd ei thad yn eistedd yn hollol lonydd yn ei gadair esmwyth, fel pe bai rhywun wedi dod o hyd i switsh rywle ar ei gefn ac wedi ei ddiffodd. Syllai ar y llawr a'i ysgwyddau llydan yn pwyso am i lawr a'r lle'n hollol dawel, heblaw am sŵn y cloc mawr.

"Dyw Tomos ddim yma. Maen nhw wedi mynd â fe," meddai, heb edrych ar ei ferch.

"Beth?" Rhoddodd Sali ei llaw yn reddfol ar ei thalcen ac edrych o'i chwmpas.

Safodd uwchben ei thad a gweiddi ar dop ei llais, "Ble mae e Dad? Dad! Chi'n gorfod helpu. Ble mae e? Ble, Dad?"

Ar ôl eiliad arall o dawelwch, edrychodd i fyw llygaid ei ferch. "Y stesion," meddai. Edrychodd ar y cloc, oedd yn paratoi i daro'r awr. "Cer yn glou!"

Rhedodd Sali ar hyd stryd Llanyborth yn y gobaith o ddala'r trên.

Cododd y swyddog ei fraich a chwibanu'n boenus o uchel er mwyn cyhoeddi bod y trên yn gadael.

Erbyn i Sali gyrraedd, roedd y trên wedi dechrau symud yn barod. Gwelodd y swyddog hi'n dod a chamodd o'i blaen ac agor ei freichiau er mwyn ei rhwystro, ond roedd cyfuniad o adrenalin a phenderfyniad yn ddigon i yrru Sali i wthio heibio iddo bron yn ddiymdrech. Rhedodd am gynffon cerbyd olaf y trên a llwyddo i blannu ei llaw yn gadarn ar ddolen y drws, a'i throi.

Daeth y trên i stop yn ddisymwth ar ôl i'r *guard* weld beth oedd yn digwydd a galw ar y gyrrwr. Dim ond ychydig o bobl oedd yno i weld y ddrama ond roedd pob un ohonynt yn edrych yn syn, yn enwedig y cwpwl balch a ddaliai'r babi newydd yn seddi 4a a 4b yn y dosbarth cyntaf.

Rhuthrodd Sali drwy'r cerbyd cyntaf ac i mewn i'r ail, cyn dod atynt. Safodd am eiliad a syllu ar Tomos mewn dillad dierth ym mreichiau'r fenyw.

Symudodd Sali ymlaen yn gyflym er mwyn hawlio Tomos yn ôl, ond cododd y dyn dierth, gafael ynddi'n gadarn a'i gwthio bant, cyn ei chodi oddi ar ei thraed fel doli glwt a'i chario'n ôl tuag at y drws. Roedd nerth Sali wedi diflannu yn dilyn ei hymdrech fawr i ddala'r trên. Ffaelodd gael gafael yn y seddi wrth eu pasio. Edrychodd i wynebau'r teithwyr eraill wrth iddi gael ei chario heibio iddynt, gan obeithio am un arwr yn eu plith – ond doedd yna'r un yno, dim ond wynebau syn yn syllu'n ôl.

Cariodd y dyn Sali at ddrws y cerbyd a llwyddodd hithau i anelu un gic galed a'i daro yn ei goes, ond cynddeiriogodd hynny fe'n waeth byth. Anelodd yntau ei ddwrn yn galed ac yn giaidd am ei phen a'i gwddf, sawl gwaith. Tarodd hi mor galed nes iddi ddisgyn o'r trên yn llipa a gwaedlyd. Trwy lwc, arbedwyd hi rhag glanio ar y platfform caled gan ddyn a safai yno.

Safodd yr erlidiwr yn orfoleddus yn ei siwt gan edrych i lawr ar Sali ym mreichiau'r dyn a'i daliodd. "She deserved it," gwaeddodd yn heriol ar y dorf oedd wedi dechrau ymgasglu o'u cwmpas.

Ond nid dyn dierth oedd wedi dal Sali Lloyd wrth iddi gwympo oddi ar y trên, ac nid lwc oedd iddo fod yno. Daethai yno'n unswydd gyda'r bwriad o achub cam ei ferch. Un rheol answyddogol ymysg dynion Llanyborth oedd na ddylent byth groesi John Lloyd, ac roedd y dyn yma newydd wneud. Caeodd ei ddyrnau ac wynebu'r cachgi a ymosododd mor giaidd ar ei ferch.

Roedd dwrn John Lloyd yn ddigon caled i dorri esgyrn ac roedd sŵn y glec wrth iddo lanio i'w chlywed yn y strydoedd gerllaw. Ac yntau'n cwympo, cododd y dyn un llaw i'w wyneb a'r llall i geisio arbed ei hun. Glaniodd yn drwm ar ei gefn a pheswch gwaed dros ei grys gwyn.

Aeth pawb yn dawel. Trodd John Lloyd yn ôl at ei ferch. Roedd hi wedi dod ati ei hun ychydig ac roedd yn ôl ar ei thraed. "Cer i'w nôl e," meddai wrthi'n dawel.

Aeth Sali'n benderfynol drwy'r cerbydau, er bod gwaed yn rhedeg o'i thrwyn, heibio'r holl wynebau unwaith eto ac at y fenyw oedd yn gafael yn Tomos.

Fflachiodd ei llygaid llwyd a rhythodd arni cyn rhwygo ei phlentyn yn ôl o'i breichiau, yn reddfol a chyntefig fel anifail. Funudau'n ddiweddarach roedd Sali yn saff yng nghartref Mari, ei ffrind, a Tomos wedi cysgu drwy bopeth, yn hollol anymwybodol o'r ddrama.

*

Y noson honno roedd tŷ Glyn Davies, tad Mari, yn dawel o'r diwedd a Sali a'r babi yn cysgu'n dawel yn yr ystafell sbâr. Yn y gegin roedd Glyn wedi bod yn meddwl ac wedi penderfynu taw digon oedd digon. Roedd croeso mawr i Sali yn ei dŷ bob amser, a heddiw'n enwedig. Roedd yn gwbl fodlon cynnig lloches saff a pharod iddi hi a'r plentyn bach.

Bu Glyn Davies yn byw yn Llanyborth erioed ac roedd yn adnabod ffyrdd y pentref yn berffaith. Collodd ei wraig i'r frech wen yn fuan ar ôl iddi roi genedigaeth i Mari yn 1923, ac ni wnaeth ailbriodi ar ôl hynny.

Roedd yn ddyn teg a thawel ac ochr ddireidus iddo fel arfer, ond heno, ar ôl clywed am yr hyn ddigwyddodd, blaenoriaeth Glyn oedd helpu Sali a diogelu dyfodol ei phlentyn.

Cawr Llanyborth oedd enw answyddogol Glyn Davies. Ac yntau'n chwe throedfedd ac wyth modfedd, ef oedd y talaf yn y sir, yn ôl y sôn, a phan âi am dro roedd modd ei weld yn dod o un pen i'r pentref i'r llall.

Cyn i Sali noswylio daeth i lawr i'r gegin a chusanu llaw Glyn i ddiolch iddo am ei helpu. Roedd yntau wedi dweud bod croeso iddi aros am faint bynnag o amser y byddai hi ei angen. Gwyddai taw'r eglwys, neu yn fwy penodol, ficer yr eglwys oedd y broblem ac roedd yn rhaid rhoi stop arno unwaith ac am byth. Gwisgodd Glyn ei got a'i gap a gadael yn dawel drwy'r drws cefn. Gwyliodd Mari ei thad gan wybod yn union i ble roedd e'n mynd, ac wedi iddi ei wylio'n diflannu i'r tywyllwch aeth i ystafell dywyll Sali a'i babi bach.

Synhwyrodd Sali fod rhywun yno ac agorodd ei llygaid cysglyd. "Mari, dere mewn," meddai'n dawel.

"Ydy popeth yn iawn?" gofynnodd Mari gan eistedd yn ysgafn ar y gwely.

Gwenodd Sali. "Ody, mae popeth yn iawn – diolch i ti a dy dad."

"Chi'ch dau yn saff fan hyn," meddai Mari gan wasgu ei llaw.

Edrychodd y ddwy ar wyneb Tomos. "Alli di addo un peth i fi, Mari?" gofynnodd Sali, fel pe bai hi'n gofyn y byd iddi.

"Wrth gwrs, beth sy'n bod?"

"Os digwyddith rhywbeth i fi, wnei di edrych ar ôl Tomos?"

Gwenodd Mari'n gynnes. "Wneith dim byd ddigwydd i ti, Sali."

"Diolch am adael i fi aros. Dwi'n gobeithio galla i fynd yn ôl gartre rywbryd – dwi'n gwbod taw'r ficer sy wedi llenwi pen Mam â'i syniade."

"Paid â phoeni – dwi'n credu bod fy nhad am gael gair bach gyda'r ficer ar dy ran di heno."

Gwenodd Mari wrth weld bod ei geiriau cysurlon wedi llwyddo ac aeth Sali yn ôl i gysgu'n dawel.

*

Yn y cyfamser roedd Glyn Davies yn sefyll y tu fas i ficerdy mawr tywyll Llanborth a golwg benderfynol arno. Tynnodd ddolen y gloch efydd a chanodd y clychau yn y tŷ nes gwneud i'r cŵn gyfarth.

Grace James, gwraig y ficer, agorodd y drws, yn edrych fel petai hi ar y ffordd mas. Gwisgai got smart a thlws mawr efydd arni.

"O! Mr Davies! Dewch i mewn. Doedd fy ngŵr ddim wedi sôn ei fod yn disgwyl ymwelydd heno, chwaith." Sylwodd Glyn ar ei hacen grand Cymry Llundain. "Dwi ar y ffordd allan i warchod plant y mab. Dewch i mewn."

Roedd hi'n amlwg o'r llais hyderus a chroesawgar fod gwraig y ficer wedi hen arfer croesawu ymwelwyr i'r tŷ. Tynnodd Glyn ei gap a cherdded i mewn heb ddweud gair. Arweiniodd y wraig ef i'r lolfa a daeth yn ôl ymhen munudau gyda the a bisgedi a'u gosod wrth ymyl hoff gadair freichiau'r ficer.

"Dwi wedi dweud wrtho eich bod chi yma, Mr Davies. Dyma ni – y te i chi. Mi fydd hi'n hwyr arnaf yn ôl felly noswaith dda i chi, Mr Davies. Mae Richard a'r teulu yn aros amdanaf."

"Nos da," dywedodd Glyn yn swta, ond roedd Grace eisoes wedi mynd. Doedd dim ond sŵn tanllwyth o dân yn llosgi yno i dorri ar dawelwch yr ystafell fawr.

Roedd ymweliad Glyn Davies wedi dod ar adeg anghyfleus i'r ficer, gan ei fod yn gorwedd mewn bàth a dim ond ei ddwylo a'i ben yn y golwg. Darllenai'r *Carmarthen Journal*, gan obeithio dod o hyd i'w enw rywle ymysg yr erthyglau, a chymryd ambell bwff o'r sigarét roedd wedi ei gosod yn ofalus ar ymyl y bàth.

Ar ôl munud neu ddwy arall o fwynhad yn y dŵr cynnes, camodd o'r bàth a mynd am yr ystafell wely i newid, ei fol 'pwdin Nadolig' yn arwain y ffordd. Dyma roedd y ficer yn ei ddifaru fwyaf – dweud wrth bawb fod croeso iddynt alw 'any time of the night or day'.

Edrychodd Glyn o'i gwmpas. Roedd yr ystafell yn union fel roedd yn ei chofio pan fu yno yn ymarfer darllen gyda bechgyn eraill yr ysgol Sul, oesoedd yn ôl. Roedd yno nenfwd uchel a chrand, gyda llenni melfed hir ar y ffenestri. Yn y gornel roedd seld enfawr yn llawn llestri a gwydrau wedi eu gosod mewn rhesi taclus, popeth yn ei le a lle i bopeth – am y tro, ta beth, meddyliodd Glyn. Ar fwrdd mawr yng nghanol yr ystafell eisteddai Beibl trwm, bron llathen o hyd, gyda chlawr caled a chlo efydd arno.

Gwnaeth ficer Llanyborth ei ffordd i lawr y grisiau, ond yn wahanol i'r arfer, doedd camau'r dyn bach byr ddim yn rhai rhy hyderus. Beth oedd y dyn yma'n ei wneud yn galw fel hyn? meddyliodd.

Safodd y ficer y tu fas i'r lolfa am eiliad er mwyn paratoi ei hun. Yna camodd i mewn yn hunanbwysig i gyd, gan gribo ei wallt ar draws ei gorun moel â'i fysedd wrth gerdded.

Safai Glyn Davies yng nghanol yr ystafell, heb fwriad o eistedd i lawr nac yfed y te.

"Mr Davies, noswaith dda. I'm glad you came up because I was thinking about asking Mary... eich merch... to read something for me in church... dydd Sul yma."

Cofiodd Glyn fod yn well gan y ficer siarad Saesneg bob gafael. Gwrthododd ysgwyd ei law. Yn lle hynny, pwyntiodd fys bygythiol ato.

"Chi oedd tu ôl i hyn i gyd!"

"Beth? What do you mean?" Ysgydwodd y ficer ei ben a chymryd cam yn ôl.

Camodd Glyn ymlaen ato. "Peidiwch ag edrych mor ddiniwed." Cododd ei lais nes gyrru'r cŵn i gyfarth eto yr ochr arall i'r tŷ. "Dwedoch chi wrth rieni Sali am roi'r babi i deulu arall, on'd do?"

Camodd y ficer yn ôl eto er mwyn cadw'n ddigon pell o'i gyrraedd. "Na! I don't know anything about it. I was just there to console Efa Lloyd, she's found it hard to cope with everything."

"Celwydd! Defnyddioch chi'r Beibl yn eu herbyn nhw, on'd do?" Pwyntiodd Glyn at y Beibl mawr ar y bwrdd.

Gwadodd y ficer ac ysgwyd ei ben, ond roedd gwir ofn i'w weld ar ei wyneb erbyn hyn.

Camodd Glyn at y bwrdd mawr lle gorweddai'r Beibl. "Chi ddim yn ddyn duwiol, chi ddim yn Gristion. Mae unrhyw ddyn sydd yn mynd â babi Sali Lloyd yn atebol i fi!"

Cododd Glyn y Beibl enfawr a'i ddal yn uchel uwch ei ben, fel Moses ar y mynydd. Cododd y ficer ei law yn reddfol i'w amddiffyn ei hun.

"Yn enw'r Tad a'r Mab a'r Ys—" Gwaeddodd Glyn y geiriau a thaflu'r Beibl yn erbyn y seld, gyda chymaint o nerth fel na chymerodd hi ond eiliadau i'r holl lestri a chwpanau gwympo a thorri.

Ar ôl i'r darn olaf setlo ar y llawr daeth sŵn coed yn hollti a chwympodd darn uchaf y seld mewn tomen arall o lestri.

Pwyntiodd Glyn at gadair y ficer a gweiddi arno. "Eisteddwch i lawr a gwrandewch!"

Ufuddhaodd y ficer gan drotian at ei gadair fel ci ar ôl cael crasfa.

"Gadewch i fi eich atgoffa chi – dwi'n cadw un gyfrinach i chi'n barod. Dwi'n gwybod pwy daniodd y dryll yna a lladd y bachgen, ac nid Jerome Towers oedd y dyn hwnnw! Wedyn, chi wedi gwenwyno Efa Lloyd yn erbyn ei merch ei hunan a threfnu bod y cwpwl yna'n dod a chymryd y babi… Dim mwy! Dim mwy o hyn, chi'n clywed?" Cododd Glyn y Beibl unwaith eto. "Rhowch eich gair… Wi'n dechrau blino cadw eich cyfrinache, yn enwedig gan taw dyn diniwed sydd wedi cael y bai… a dyw e ddim yn galler dod 'nôl i weld ei fab ei hunan!" Lluchiodd y Beibl i gyfeiriad y ficer. "Gewch chi dyngu llw ar hwn o flaen Duw."

Syllodd y ficer ar y Beibl a mynd i'w godi'n araf. Roedd y clawr wedi rhwygo a'r clo wedi torri, ac ambell ddarn papur wedi syrthio mas ohono. Gwyddai'r ficer fod rhywbeth pwysig iawn ymysg y papurau hyn. Y Beibl oedd cuddfan y ficer ar gyfer y pethau pwysicaf, ac yn eu canol roedd dogfen fabwysiadu Tomos Lloyd, gyda llofnod Sali ei fam arni. Wrth estyn am y Beibl â'i law chwith, sleifiodd y ficer y papur mabwysiadu yn dawel bach i'w boced. "I swear. I swear on the Bible that I will have nothing to do with the adoption of Sally's boy again... Mae ganddoch chi fy ngair i, Mr Davies," ychwanegodd yn Gymraeg er mwyn rhoi mwy o bwyslais ar y geiriau.

Roedd gan Glyn un peth arall i'w ddweud cyn gadael. Camodd at y ficer, gafael yn ei goler a'i godi o'r gadair. Cododd y ficer nes ei fod yn edrych i fyw ei lygaid, sawl troedfedd o'r llawr. "Os felly, fydd dim isie'r darn papur 'na chi newydd ei gwato yn eich poced arnoch chi. Rhowch e i fi."

1985

6

Tomos Lloyd

MAE RHYWUN WASTAD yn cofio ble roedden nhw wrth glywed am drychineb mawr neu ar adeg digwyddiad bythgofiadwy, ac i lawer, mae hynny'n wir am Live Aid.

Ar noson 13 Gorffennaf 1985 roedd hi'n tynnu at ddiwedd dau beth: cyngerdd Live Aid a'r BBQ a drefnodd Tomos Lloyd yng ngardd gefn ei fflat yn Chiswick er mwyn dathlu'r digwyddiad.

Roedd yr ardd gefn yn llawn un funud ac yn wag y funud nesaf, wrth i'r bandiau fynd a dod o'r llwyfan a phawb yn heidio yn ôl a blaen o'r teledu i'r ardd. I bawb oedd yn poeni, roedd rhywbeth arbennig iawn yn digwydd heddiw. Fesul munud, fesul band, fesul canwr, dechreuodd hi wawrio arnynt fod hyn i gyd yn wahanol, gwahanol iawn i unrhyw beth oedd wedi bod o'r blaen.

Roedd y coctel yn un syml. Cymerwch enwau mwyaf eiconig y byd cerdd, rhowch nhw i gyd yn yr un lle a'u cael nhw i chwarae'r caneuon mwyaf poblogaidd erioed. Wedyn darlledwch y peth yn fyw ar bob teledu yn y byd, ac yna, ar anterth y mwynhad, dangoswch y tlodi a'r newyn mwyaf erchyll.

Ar ôl yfed o'r gwydr arbennig hwn drwy'r dydd, roedd pawb a chanddo glustiau i wrando a chalon oedd yn curo yn llawn emosiwn newydd – emosiwn oedd yn dawnsio a chwarae ar eithafion tristwch a phleser am yn ail.

Roedd parti bach Tomos – fel y cyngerdd – yn tynnu at ei

derfyn a ffrind ar ôl ffrind wedi ffarwelio nes gadael dim ond ambell un ar ôl, yn cicio'i sodlau wrth aros am dacsi neu'n golchi llestri.

Galwodd pob math o bobl heibio heddiw – teuluoedd gyda phlant, ffrindiau, ffrind i ffrind ac ambell un heb wahoddiad o gwbl! Ond doedd dim ots am hynny. Doedd dim ots fod dyn o'r enw Geraint, dieithryn diniwed, wedi aros drwy'r dydd. "Bythgofiadwy," meddai wrth adael ar ôl cael digon o fwyd a diodydd i fwydo teulu cyfan, er na chyfrannodd ddime i'r achos.

Roedd blwyddyn ers iddo brynu'r fflat a doedd Tomos ddim wedi cael cyfle i drefnu *house warming* traddodiadol. Awgrymodd rhywun yn y brifysgol y byddai BBQ yn hwyl i ddathlu'r cyngerdd, a chan fod ganddo bwt o ardd fach yn y cefn, bodlonodd Tomos. Felly roedd y parti heddiw wedi cyflawni'r ddau beth – dathlu'r cyngerdd a dathlu ei gartref newydd.

Erbyn saith o'r gloch, roedd parti bach Tomos yn tynnu tua'i derfyn, roedd Bob Geldof wedi gofyn am arian droeon a daeth y grŵp Queen i hawlio'r llwyfan.

Roedd Jill a Petra, dwy o gyd-weithwyr Tomos o'r brifysgol lle darlithiai yn achlysurol, yn y gegin yn golchi llestri, gyda'u gwŷr wrth eu hochr yn sychu'r llestri am yn ail.

Roedd sgyrsiau am lifftiau a rhannu tacsi, er bod dau o'r yfwyr trymaf yn dal ati â photeli hanner gwag o gwrw o'u blaen. Roedd y mwyaf meddw, Huw, yn ffaelu'n deg â gorffen ei ddadl am iddo anghofio pam y cychwynnodd hi yn y lle cyntaf.

Cerddodd menyw ifanc i mewn i'r gegin yn edrych ar goll ac yn cwyno bod ei thacsi wedi cyrraedd ond nad oedd sôn am ei bag bach pinc blewog. Cyfeiriodd Petra at y bag bach pinc blewog oedd eisoes ar ei chefn. Bant â hi wedyn am ei thacsi fel y gweddill – ac i'r sawl oedd yn cofio, dyna'r math ar ddiwrnod dryslyd a fu.

Yn y prysurdeb a'r sŵn, doedd Tomos ddim wedi clywed ffôn

y tŷ yn canu. Atebodd Petra'r alwad, gan taw hi oedd agosaf. "I'll see if he's around." Edrychodd o'i chwmpas am Tomos, cyn ei weld yn y cyntedd, yn ei siaced ledr ddu arferol, yn ffarwelio â rhywun wrth y drws. "Hey, Danny! It's for you! A Dr Humphreys?" Roedd hi wedi bod yn galw Tomos yn Danny ers y cychwyn cyntaf, wedi iddi benderfynu ei fod yn debyg i Danny Glover yr actor.

Cymerodd Tomos yr alwad, er nad oedd yr enw yn canu unrhyw glychau.

"Dr Humphreys sydd yma, o'r ysbyty yng Nghaerfyrddin. Mae'n ddrwg gen i orfod dweud wrthych, Mr Lloyd, ond bu farw eich mam, Sali, y prynhawn yma. Roedd ei ffrind Gwyn Jones yma yn yr ysbyty gyda hi pan fu hi farw."

Bu'n rhaid iddo eistedd i drio rheoli ei ddagrau. Petra oedd yr unig un oedd wedi sylwi bod rhywbeth o'i le wrth i'r dyn mawr eistedd yn y gadair yn dawel a syrthio'n fud i'w fyd bach ei hunan.

"Thomas?" gofynnodd, gan ddefnyddio ei enw iawn am y tro cyntaf erioed. Penliniodd Petra wrth ei ymyl.

"My mother has just died."

Gwasgodd Petra ei law yn dyner ac yna codi ar ei thraed i ddiffodd y teledu a chael gwared ar bawb oedd ar ôl o'r tŷ.

"Do you want me to drive you to Wales tonight?" gofynnodd ar ôl i bawb adael.

"No, it's fine. Thanks for offering. I'll go there in the morning," atebodd yn dawel.

"You can stay at ours tonight if you like, just pack a bag. I don't think you should be alone tonight," mynnodd Petra, yn feddylgar fel arfer.

"No, it's fine. Really grateful but I would rather stay here and gather some thoughts. But thanks."

Ar ôl i Petra fynd, ac ar ôl pacio bag ar gyfer y bore, daeth blinder drosto ac aeth i orwedd. Er bod y newyddion wedi ei sobri roedd cyfuniad o dristwch, blinder a chwrw'r prynhawn yn nofio fel niwl yn ei ben a dechreuodd deimlo'n gysglyd. Aeth ei feddwl i grwydro a bu'n hel atgofion i gyfeiliant sŵn ysgafn traffig Chiswick High Road yn y cefndir.

Yn ystod ei blentyndod, er bod arian wedi bod yn brin, gwnâi ei fam y gorau o bethau bob tro. Cynilo arian prin o'i chyflog bach i wneud pob Nadolig a phen-blwydd yn sbesial. Llifodd yr atgofion yn ôl am y Nadoligau cyntaf a'r anrhegion cyntaf y gallai eu cofio. Olwyn blastig i'w gosod yn y car wrth ochr y gyrrwr er mwyn iddo gael dynwared ei dad-cu yn gyrru; tryc Pepsi Cola; a thedi *forest ranger* mewn hat a throwser glas. Ond y mwynaf o'r atgofion oedd y rhai am anrhegion Wncwl Ffred. Er nad oedd Tomos wedi cwrdd ag e bryd hynny, roedd hi'n gystadleuaeth go dynn rhwng Santa ac Wncwl Ffred am yr anrheg orau bob blwyddyn!

Deuai'r anrhegion yn gyson o ffyddlon ganddo bob Nadolig, ond un flwyddyn, pan oedd Tomos yn bump, aeth i chwilio am yr anrheg yn ôl yr arfer a mynd i lefain ar ôl sylweddoli nad oedd sôn amdano. Yn waeth na hynny, aeth i boeni bod y traddodiad hudolus yma wedi dod i ben.

Daeth ei fam i achub y dydd a chyflwyno anrheg Wncwl Ffred iddo. "Gwell hwyr na hwyrach, Tomos!"

Diflannodd y dagrau ac aeth Tomos ati i dynnu'r papur Nadolig.

"Paid â rhacso'r bocs," gwaeddodd ei fam wrth godi a thacluso'r papur lapio ar ei ôl. "Mae'r bocs yn bwysig. Fe wnei di ddiolch i fi ryw ddiwrnod!"

Mas o'r bocs daeth car y cymeriad enwog Dick Tracy â seiren a golau glas i rybuddio pawb ei fod yn dod. Hon oedd yr anrheg orau erioed!

"Beth ti'n ddweud?" gofynnodd ei fam cyn iddo ddiflannu drwy'r drws i gyflwyno Dick Tracy i weddill y tŷ.

"Diolch, Wncwl Ffred," gwaeddodd yn ufudd, ac aeth y car

ddim o olwg Tomos nes iddo fynd yn ôl i'r ysgol yn y flwyddyn newydd.

Yr un Nadolig, ar ôl cinio mawr, gwelodd Tomos ei dad-cu yn mynd mas drwy'r drws cefn ac i lawr y llwybr i waelod yr ardd. Aeth ar ei ôl yn yr oerfel a'r eira gyda'r anrheg newydd yn ei law. Gwthiodd y car yn swnllyd wrth draed ei dad-cu fel pe bai Dick Tracy yn rasio i ateb galwad '999'. Diwedd y daith oedd clep drws y tŷ bach yn wyneb Tomos a chawod o eira ar ei ôl. Bu bron i'r drws fynd â llaw Tomos yn y fargen, a daeth y plentyn druan i'r casgliad, gyda rhywfaint o siom, taw ateb galwad llawer mwy naturiol roedd ei dad-cu yn ei wneud wedi'r cyfan. Wrth i'r hen ddyn setlo i lawr daeth Dick Tracy hefyd i'r casgliad fod y creisis drosodd, a rasio oddi yno i chwilio am yr antur nesaf.

Syrthiodd Tomos i gysgu ym myd plentyn ac i sŵn hynt a helynt Dick Tracy.

7

Yn ôl i Lanyborth

Y BORE WEDYN roedd Tomos wedi taflu'i fag i gefn y Capri a theithio ar hyd yr M4 bron yn ei chyfanrwydd cyn iddo ddihuno'n iawn.

Fel awdur hunangyflogedig, roedd gan Tomos y rhyddid i godi ei bac a mynd. Cyn gadael am y gorllewin roedd wedi rhoi galwad i'w asiant, Robin Scarlet, ac egluro beth oedd wedi digwydd a hefyd gofyn iddo drefnu cael ymestyniad ar ddyddiad cyflwyno drafft nesaf ei lyfr diweddaraf, *The Trackers*.

Llyfr am gangster o'r East End yn ceisio sefydlu ei hunan yn Las Vegas ydoedd, ond mewn gwirionedd doedd y syniad ddim wedi bachu o gwbl ac ar ben hynny, am y tro o leiaf, roedd Tomos yn rhagweld y byddai'r sioc o golli ei fam yn lladd unrhyw awydd i ysgrifennu ynddo, ta beth.

Roedd Robin Scarlet wedi cyfuno enwau Robin Hood a Will Scarlet er mwyn cael enw *showbiz* fyddai'n denu sylw yng nghylchoedd Llundain. Cofiodd Tomos am eu cyfarfod cyntaf yn lansiad llyfr awdur arall. Dyn o gwmpas yr hanner cant, chwe throedfedd o daldra ac yn eithaf stowt yr olwg oedd Robin. Edrychai fel actor Eidalaidd gyda'i wallt du, lliw haul a sbectol dywyll ond unwaith yr agorodd ei geg, llais *boy soprano* ddaeth mas, gan chwalu'r ddelwedd.

Er gwaethaf hyn, roedd yn ddyn digon caredig ac ar ôl i Tomos ddweud wrtho am ei golled, roedd yn llawn cydymdeimlad ac yn dymuno'r gorau iddo.

Teithiodd Tomos ar hyd y lonydd llai i gyfeiriad Llanyborth.

Pasiodd ambell dractor, yn ôl yr arfer, ac yna daeth pâr ifanc mewn Ford Escort a sticer Ffermwyr Ifanc arno y tu ôl iddo. Gwelodd Tomos y gyrrwr ifanc yn ei ddrych cefn yn dyrnu mynd, yn amlwg wedi cynhyrfu wrth weld Ford Capri Tomos o'i flaen. Closiodd a herian ychydig er mwyn diddanu ei gariad wrth ei basio, ac ar yr hanner cyfle cyntaf rhuodd y car heibio i sŵn caniad corn. Arwydd pendant arall i Tomos ei fod wedi cyrraedd y gorllewin gwyllt!

Roedd yr iet o flaen tŷ ei fam ar gau. Dyma oedd yr arwydd cyntaf fod pethau wedi newid. Fel arfer, fel rhan o'r croeso, arferai ei fam agor yr iet fel y gallai barcio ei gar o flaen y tŷ, ac am y tro cyntaf erioed bu'n rhaid iddo barcio ar y stryd a cherdded yn ôl i'r tŷ.

Yn ôl Gwyn, y cyfreithiwr, roedd e wedi mynd â Sali yn ei gar o Lanyborth i siopa yng Nghaerfyrddin a doedd dim awgrym fod dim o'i le arni. Roedd hi mewn hwyliau da ac yn eithaf sionc o gwmpas y siopau. Yna, yn ddirybudd fe gafodd hi drawiad ar y galon a syrthio ar y stryd. Cludwyd hi i'r ysbyty yn y dref a bu farw rai oriau yn ddiweddarach. Er iddo geisio cysylltu, chafodd Gwyn ddim ateb ar ffôn fflat Tomos. Gormod o sŵn yn rhialtwch y parti, siŵr o fod.

*

Agorodd Tomos ddrws y tŷ. Roedd pethau wedi eu gadael yn gywir fel petai ei fam wedi galw drws nesaf ac am ddod yn ôl unrhyw funud. Popeth yn lân ac yn eu lle fel arfer – cwpan, soser a phlât ei brecwast olaf wrth y sinc, wedi eu golchi a'u gosod i sychu yn daclus.

Daeth cnoc ar y drws a llais Gwyn Jones y cyfreithiwr ar ei hôl.

"Oes 'na bobol?" gofynnodd y gogleddwr, un a fu'n ymwelydd cyson â'r tŷ dros y blynyddoedd.

Agorodd Tomos y drws ac ysgwyd ei law. Roedd Gwyn mewn siwt yn ôl yr arfer. Dyn hoffus ydoedd, yn ei chwedegau, gyda barf wen ac wyneb cochlyd.

"Ddrwg iawn gen i, Tomos. Ddrwg iawn gen i," meddai wrth wasgu ei law yn dyner a chadarn.

Teimlodd Tomos don o dristwch yn dod drosto wrth iddo glywed y geiriau a theimlo anwyldeb y cyfarchiad.

"Diolch, Gwyn. Dewch i mewn. A diolch eto am fod yn gymaint o ffrind i Mam ac am fod yno iddi yn yr ysbyty."

"'Sdim angen diolch am bethau felly. Dwi eisiau i ti wybod fy mod i am gymryd cyfrifoldeb am bopeth. Dwi wedi delio â'r ysbyty, ac am drefnu ymgymerwr, yr amlosgfa, yr ewyllys, popeth! Y cyfan sydd angen i ti wneud yw cymryd dy amser. Galaru, wrth gwrs, a dewis ambell emyn. Mae Mari am dy helpu i ddewis, hi sydd yn gwybod beth oedd dy fam yn ei hoffi."

"Diolch, Gwyn. Diolch yn fawr. Help mawr i fi."

"Iawn. Dim problem, dim ond galw ar y ffordd i'r swyddfa – dwi am fynd a dy adael di rŵan. Cymer ofal."

Caeodd Tomos y drws ar ei ôl a mynd yn araf i fyny'r grisiau, gan gerdded o gwmpas yn hel atgofion. Roedd y lle'n dawel fel mynwent a dim ond tip, tap, tip, tap un o dapiau'r bàth i dorri ar y tawelwch. Cofiodd – gyda thristwch ac ychydig o euogrwydd – iddo addo trwsio'r tap y tro diwethaf y daeth i weld ei fam, rai misoedd yn ôl.

Aeth i ystafell wely ei fam a nôl y bocs oedd wedi byw o dan ei gwely ers cyn cof. Ei chyfrinachau oedd yn hwn. Hyd y gwyddai Tomos, dim ond dau beth roedd ei fam wedi ei gadw rhagddo: cynnwys y bocs o dan ei gwely oedd un ohonynt, a'r llall oedd y gwirionedd am ei dad. Doedd ei fam erioed wedi rhannu'r cyfrinachau hyn ag ef.

Edrychodd Tomos ar y bocs. Roedd olion rhywun wedi ceisio torri'r clo rywdro, a chofiodd Tomos taw ei waith ef oedd hynny. Pan oedd yn bedair ar ddeg, a'i fam wedi mynd ar un arall o'i thripiau i weld Wncwl Ffred, roedd Tomos wedi ceisio ei agor. Aethai â'r bocs i weithdy ei dad-cu a defnyddio pob math o arfau gwahanol ond methiant fu ei hanes yn y diwedd. Doedd ei fam ddim wedi sôn gair wrtho am y marciau newydd ar y bocs pren. Ai oherwydd ei heuogrwydd yn cadw cyfrinachau rhagddo o bosib? meddyliodd.

Yr unig wybodaeth a gawsai Tomos am ei dad erioed oedd yn angladd John, ei dad-cu, yn 1963. Roedd llawer o'r hen deulu wedi ymgasglu, ac yn eu plith Wncwl Ffred. Pan oedd Tomos yn blentyn bach, dyma'r Wncwl Ffred fyddai'n anfon anrhegion iddo bob Nadolig. Brawd bach ei dad-cu oedd Ffred, a chanddo fe y cawsai Tomos yr ychydig wybodaeth oedd ganddo am ei dad.

Roedd Ffred, fel pob dafad ddu dda, wedi penderfynu byw ei fywyd i'r eithaf. Yn ogystal â hynny, Ffred oedd un o'r ychydig rai a wnaeth elw mas o'r Ail Ryfel Byd. Tra byddai pawb arall yn mynd heb fawr o ddim, byddai Ffred yn gyrru o gwmpas y wlad mewn Bentley *sports* coch a dillad ffasiynol o siopau drutaf Llundain, a bob amser yn gwisgo dici-bô lliwgar. Prynu a gwerthu ar y farchnad ddu fyddai ef, a tharo bargeinion gyda'r milwyr, yn enwedig yr Americanwyr. Dyna oedd ei fywyd o ddydd i ddydd trwy gydol y rhyfel, ac ar ei ddiwedd symudodd i Lundain. Felly, er gwaethaf yr anrhegion Nadolig a ddeuai yn ddi-ffael trwy gydol ei blentyndod, dim ond unwaith y gwelsai Tomos ei wncwl.

Yn yr angladd, gwisgai Ffred y dici-bô nodweddiadol a chot hir a phocedi isel fel ymgymerwr – er mwyn cuddio'r botel wisgi oedd ganddo. Ar ôl yr angladd, daeth Ffred i chwilio am Tomos a'i gornelu yn yr ardd. "Soldier oedd dy dad, *bloody good* soldier hefyd," meddai. Ond cyn i Tomos lawn sylweddoli ei fod mewn sgwrs brin ac unigryw am ei dad, a chyn iddo gael cyfle i ddiolch am yr holl anrhegion Nadolig, daeth ei fam-gu o rywle a mynd â Tomos i ffwrdd gan chwalu'r sgwrs cyn iddi ddechrau'n iawn.

Yna daeth rhyw aelod arall o'r teulu o rywle a chynnig cyngor syml. "Cadwa'n ddigon pell oddi wrth Ffred – mae e'n *oddball*."

Ond roedd gan Tomos feddwl mawr o'r dyn oherwydd iddo wneud y fath argraff arno drwy ei haelioni adeg y Nadolig. Roedd ei fam hefyd yn llawn parch tuag ato, ac yn barod iawn i achub ei gam. Trwy gydol ei blentyndod roedd Tomos wedi sylwi bod y berthynas rhwng y ddau yn un agos, gyda llythyr a cherdyn yn cyrraedd bob hyn a hyn, ac ambell ymweliad gan ei fam ag ef o dro i dro, er na chawsai Tomos ei hun yr un gwahoddiad i fynd ar y tripiau hynny.

*

Gosododd Tomos y bocs ar y bwrdd a nôl cyllell fawr y gegin i agor y clo. Ar ôl chwarter awr o berswâd, llwyddodd. Daeth arogl ei fam o'r bocs, ynghyd â breichledau, modrwyon, clustdlysau amrywiol a llun o'r teulu ar draeth Aberystwyth tua 1950.

Rhedodd Tomos ei fys y tu mewn i'r clawr a sylwi bod rhywbeth yno. Tynnodd yn ysgafn ac fe agorodd ddrâr cudd ac amlen ynddo. Roedd ar fin agor yr amlen pan glywodd sŵn allweddi yn nrws y tŷ. Agorodd y drws a cherddodd menyw fach, a'i phen cyrliog du at i lawr, i mewn i'r tŷ. Gwisgai got tŷ ac esgidiau at ei phigyrnau. Gan nad oedd car yn y dreif i'w rhybuddio fod ymwelydd yn y tŷ, cafodd y fenyw sioc o glywed llais yn ei chyfarch.

"Helô, Mari," dywedodd Tomos yn dawel.

Ar ôl y syndod daeth ochenaid o ryddhad wrth iddi sylweddoli pwy oedd yno. "Tomos!" dywedodd yn dawel a dechreuodd y ddau grio fel plant bach ym mreichiau ei gilydd. "Y peth gwaethaf, Tomos, yw… ches i ddim tsians i ffarwelio â hi. Mae'n golled fawr i fi – hi oedd fy ffrind gore."

"Dwi'n gwybod, Mari. Chi a Glyn wedi bod yn dda iawn

iddi, ac i fi hefyd, dros y blynyddoedd. Roedd 'ych tŷ chi fel ail gartre i ni'n dou."

Ar ôl sychu'r dagrau aeth Mari i wneud te yn y gegin drws nesaf – roedd hi'n awyddus i drafod yr angladd. "Mae angen i ni ddewis emynau," gwaeddodd wrth arllwys y paneidiau.

"Beth oedd ei ffefryn?" gwaeddodd Tomos yn ôl, gan ddefnyddio'r cyfle, gan fod Mari wedi mynd o'r ystafell, i agor yr amlen oedd yn y bocs.

Ynddi roedd darn o bapur wedi ei blygu gyda 'To Sally' arno a dau hen ffotograff du a gwyn mewn cyflwr da. Roedd y llun cyntaf yn un o'i fam yn ifanc, yn nillad ffasiynol y cyfnod, ac yn sefyll fraich ym mraich gyda dyn du mewn lifrai milwr.

Roedd y llun arall yn un o Mari, ac yn amlwg wedi ei dynnu ar yr un pryd â'r llall. Roedd hithau hefyd yn sefyll gyda milwr wrth ei hochr, ac er eu bod yn ddigon hapus yr olwg, doedd y ddau yma ddim yn ymddangos mor agos â'r cwpwl arall.

Cerddodd Mari yn ôl i mewn i'r lolfa gyda llyfr emynau mewn un llaw a chwpanaid o de yn y llall. "Ei hoff emyn hi oedd 'Calon Lân'…" Gwelodd y lluniau yn ei law. "Beth sy 'da ti?" gofynnodd gan gamu draw i'w gweld.

Cododd un o'r lluniau. "Fi a George," meddai'n araf gyda gwên. "Wel, wel, wel! Dwi'n cofio'r rhain yn cael eu tynnu." Eisteddodd Mari i lawr. "Edrycha ar 'y ngwallt i!" Chwarddodd fel merch fach. "Edrycha arna i, Tomos. Yn edrych mor ifanc! A'r dynion smart 'na. Ble aeth y blynyddoedd i gyd, gwêd? Dwi'n cofio meddwl ar y pryd gymaint o hwyl oedd y rhyfel."

"Mari, dwi'n cymryd taw hwn yw fy nhad?" gofynnodd Tomos, gan geisio ymddangos yn gwbl naturiol er bod y cwestiwn yn un mawr.

"Ie, Tomos, dyna dy dad…" atebodd Mari'n gyflym a gafael yn y llun arall er mwyn newid y pwnc. "A'r dyn yma yw George. Roedd George yn gapten ac yn eithaf uchel yn y fyddin," meddai gyda balchder amlwg yn ei llais.

"Beth ddigwyddodd i Nhad? Ydi e'n gwybod amdana i?" gofynnodd Tomos, gan geisio swnio'n ysgafn.

Dychwelodd Mari'r llun iddo ac edrych mas drwy'r ffenest heb ateb am ychydig. Yna cododd o'i chadair. "Cwestiwn anodd… Mae dy de di'n oeri, Tomos."

Byddai Sali Lloyd yn aml yn cwyno wrth ei mab am arferiad Mari o ddod draw i ymweld, ac ar ôl cyfnewid gwybodaeth ymarferol, gadael bron yn syth – heb hyd yn oed dynnu ei chot.

Edrychodd Mari ychydig yn euog am iddi ffaelu ateb y cwestiwn. "Reit… Fory… Fe gawn ni sgwrs am drefniadau'r angladd. Dwi eisiau mynd gatre i weld shwd mae Dad. Dwi wedi'i adael e yn y tŷ ar 'i ben ei hunan. Mae e mewn oedran mowr nawr, Tomos."

Diflannodd Mari o'r ystafell a chlywodd Tomos ddrws y tŷ yn agor ac, ar ôl seibiant go hir, yn cau'n dawel.

Edrychodd ar y lluniau o'i flaen. Syllodd ar wyneb y dyn oedd wedi bod yn ddirgelwch iddo am ddeugain mlynedd. "Damia!" meddai'n uchel. "Pwy wyt ti?" gofynnodd wedyn yn dyner ac yn dawel.

Yna, clywodd lais Mari, yn annisgwyl braidd, gan ei fod yn meddwl ei bod wedi mynd gartref: "Fe ddweda i bopeth dwi'n wybod – i dy helpu di ateb y cwestiwn yna, Tomos."

Camodd yn ôl i mewn i'r ystafell, a gwenodd Tomos.

"Mari, mi fyddai'n dda cael gwybod, yn enwedig ar ôl colli Mam."

Cerddodd Mari draw ac eistedd unwaith eto, gyda golwg llawer mwy penderfynol arni y tro hwn. "Wrth gwrs dy fod ti angen gwybod. Fi oedd ddim yn teimlo taw fy lle i oedd gweud."

"Mam ddyle fod wedi gweud wrtha i, ond wnaeth hi erioed."

"Naddo, wnaeth hi ddim, ti'n iawn. Felly 'y ngwaith i fydd adrodd yr hanes wrthot ti, " meddai'n hyderus.

"Iawn, Mari, diolch i chi."

"Enw dy dad oedd Jerome... Jerome Towers. Milwr... *American G.I.* Roedd dy fam a Jerome mewn cariad, a fi fyddai'n cario negeseuon rhwng y ddau achos nad oedd Efa, dy famgu, yn hoffi'r syniad fod ei merch hi'n mynd 'da fe. A chofia hefyd fod 'na lawer o genfigen ymysg y dynion lleol hefyd. Achos bod dy fam a fi, merched Cymraeg Llanyborth, yn caru 'da Americanwyr," ychwanegodd gyda direidi a balchder yn ei llais.

"Amser hynny roedd 'da ni, fel teulu, fecws yn y pentre, a chytundeb i bobi bara ar gyfer yr orsaf filwrol. Roedd fy nhad yn delio gyda George – y milwr yn y llun."

Cododd Mari'r llun a'i osod yn daclus o flaen Tomos.

"Wedyn, un diwrnod, aeth Dad yn dost ac felly fi aeth i gwrdd â George i gymryd y taliad ar gyfer y bara. Dyna sut y cychwynnodd popeth.

"Roedd George yn ddyn da, bonheddig, cofia. Dwi'n gobeithio ei fod e wedi cael bywyd da, ble bynnag a'th e wedyn," dywedodd gydag ychydig o gryndod yn ei llais, y ceisiodd ei gwato wrth iddi wthio'r deigryn lleiaf erioed o gornel un llygad.

Ar ôl cymryd eiliad neu ddwy i setlo, aeth ymlaen â'r stori. "Roedd George yn nabod Jerome, dy dad... roedd y ddau yn eitha ffrindie. Bydde'r ddau yn mynd i'r eglwys yn Llanyborth hefyd. Dyna ble gwelodd dy fam Jerome am y tro cyntaf. Roedd pethe'n wahanol bryd hynny, Tomos. Dynion du a gwyn yn cael eu cadw ar wahân mewn dau wersyll gwahanol, ond roedd Jerome yn gweithio ym maes tanio gwersyll y gwynion."

Yfodd Tomos ychydig o de oer a chadw'n dawel er mwyn osgoi torri ar rediad y stori.

"Doedd dynion du ddim yn ca'l bod yn filwyr ymladd bryd hynny. Ond bydde George yn gweud fod Jerome gystal milwr â'r goreuon o'r rhai gwyn. Roedd yn brofiad newydd i ni gwrdd â dynion du. Y peth od oedd eu bod nhw yma i ymladd dros ryddid ac eto doedd 'da nhw ddim rhyddid yn eu gwlad eu hunain! Dychmyga, Tomos."

Ysgydwodd Tomos ei ben. "Do'n i ddim yn gwybod bod y gwersylloedd ar wahân. Un i'r duon a'r llall i'r rhai gwyn, yma yn Llanyborth!"

"Ie, un ym mhob pen i'r pentref, a ninne wedi ein gwasgu yn y canol." Chwarddodd Mari yn uchel a mynd ati i wneud cwpanaid arall. Parhaodd â'r stori wrth iddi aros i'r tegell ferwi.

"Ar ôl i fi gwrdd â George fe ges i a Sali wahoddiad i ddawns ac fe ddawnsiodd hi a dy dad gyda'i gilydd drwy'r nos. Dyna oedd dechrau popeth, dy fam a Jerome. Doedd pawb ddim yn hapus, Tomos, roedd 'na ddrwgdeimlad. Ond roedd y ddou mewn cariad a do'n i erioed wedi gweld dy fam mor hapus.

"Oherwydd bod rhai, gan gynnwys dy fam-gu, yn anhapus iawn o glywed am y berthynas, bydde'n well gan Sali gwrdd â Jerome yn dawel bach, heb i neb wybod. Weithie bydde dy Wncwl Ffred yn mynd â nhw yn ei gar am drip mas o'r ardal hefyd.

"Wedyn byddwn i'n chware Ciwpid ac yn cario negeseuon bach rhwng y ddou. Roedd 'da fi esgus perffaith i fynd i'r gwersyll, felly ro'n i'n galler cario negeseuon rhwng dy rieni yn gyson, nodiade bach ar ddarne o bapur gyda threfniade iddyn nhw gwrdd."

Rhoddodd Mari'r te ffres ar y bwrdd.

"Ac yn tŷ ni y ganed ti, Tomos!"

"Wir? Nid yn y tŷ yma?"

"Nage," meddai'n gadarn. "Cadwodd dy fam a fi ti'n gyfrinach a doedd neb yn gwybod. Wedyn, un diwrnod... fe ddest ti! Y sioc fwya yn hanes Llanyborth erioed. Babi cyfrinachol a hwnnw'n un du!" Gwasgodd Mari ei law yn chwareus.

"Roedd 'na bobol ofnadw yma yr adeg honno, Tomos. Bechgyn lleol yn llawn cenfigen a hen ficer Llanyborth yn corddi trwbl hefyd. Dyn od iawn, dyn ofnadw. Cymro yn trio bod yn

Sais ac yn siarad Saesneg fel petai e'n frenin Lloegr! Bydde fe'n gas i dy fam – pregethu bod cael plentyn y tu fas i briodas yn bechod a dy fam-gu, Efa, yn credu pob gair ddywede fe. Hanes ofnadw. Druan o dy fam. Ond mi sortiodd Nhad yr hen ficer mas, diolch byth."

Cododd Mari wrth gofio am ei thad. "Dad! Dylwn i fynd. Mae'n amser iddo gael ei dabledi."

"Beth amdanoch chi a George yr Americanwr?" gofynnodd Tomos er mwyn ceisio cadw'r sgwrs i fynd.

"Ro'n ni'n gweld ein gilydd ambell dro. Bydde fe'n gadael nodiade i fi hefyd. Yn Ffrangeg. A finne'n eu cyfieithu nhw drwy ddefnyddio hen lyfre ysgol ac yn trial ei ateb e yn ôl yn Ffrangeg 'fyd."

"Beth ddigwyddodd wedyn?"

"Dim byd, Tomos," atebodd Mari, gan sefyll a dechrau botymu ei chot. "Dwi ddim yn meindio cyfadde, Tomos, 'mod i'n eiddigeddus o dy fam. Roedd ganddi hi blentyn bach ond dim ond atgofion sy 'da fi."

"Ond ma'n nhw'n atgofion da?"

"Odyn, ond ma hi'n anodd weithie… Parhau'n sengl ar ôl y rhyfel, achos wedodd e bydde fe'n dod 'nôl, ond ddaeth e ddim. A fi'n ddigon twp i'w gredu… a breuddwydio am fywyd yn America…"

"Ddaeth Nhad ddim yn ôl chwaith?" gofynnodd Tomos.

"Naddo, achos digwyddodd rhywbeth ofnadw yma yn Llanyborth."

"Beth, Mari?"

"Diwedd y gwanwyn yn 1944 oedd hi. Fe es i'r gwersyll fel arfer a rhoddodd Jerome nodyn i fi i'w roi i dy fam. Fe ddarllenes i'r nodyn syml – roedd hi'n arferol i fi wneud er mwyn diogelwch dy fam, fel bo fi'n gwybod ble bydde'r ddau yn cyfarfod rhag ofn i rywbeth fynd o'i le. Cofia beth ddwedes i wrthot ti am genfigen y bois lleol.

"Weithie bydde'r nodyn yn gweud 'Rwy'n dy garu di' ac ar adege eraill yn sôn am drefnu cyfarfod. Yn y nodyn olaf rhyngddyn nhw, roedd yna sôn am gyfarfod wrth bont y rheilffordd am wyth o'r gloch y nosweth honno.

"Doedd Sali ddim gatre pan ddes i 'nôl i'r pentre, felly gadawes y nodyn mewn tun tobaco bach a'i guddio yn y wal y tu fas i'r tŷ. Cuddfan fach gyfrinachol, ti'n gweld. Yn hwyrach yr un noson ro'n i ar y ffordd i'r stesion i ddala'r trên i Milford pan weles ddau ddyn yn cerdded i fyny Clive Lane. Roedd hi'n dechre tywyllu a doedd dim posib nabod pa ddynion o'r pentre oedd yno ond fe weles wn ar ysgwydd un."

"Mae'r hewl fach yna'n arwain at bont y rheilffordd," ychwanegodd Tomos wrth iddo gofio chwarae yno yn ei blentyndod.

"Ody, a do'n i'n meddwl dim am y peth ar y pryd. Meddwl taw dynion y pentre yn mynd mas i hela llwynogod yn y coed wrth y bont oedden nhw.

"Ro'n i'n hwyr i ddala'r trên achos bod rhaid i fi bacio bag dros nos. Wrth i fi fynd heibio tŷ dy fam, a gweld bod y nodyn yn y tun tobaco wedi'i gymryd, ro'n i'n meddwl bod dy fam wedi'i ddarllen a'i bod hi wedi mynd i gwrdd â Jerome wrth y bont.

"Ar ôl i fi gyrraedd y stesion roedd trên wyth o'r gloch wedi mynd... cwt y trên yn diflannu oedd yr unig beth weles i.

"Wedyn dwi'n cofio cerdded yn ôl i'r tŷ, a chlywed ergyd dryll. Wedyn gweld PC Wood yn rhedeg i gyfeiriad y sŵn ac ymhen ychydig aeth si ar led fod dyn wedi cael 'i saethu'n farw wrth y bont.

"Wedyn Sali yn dod mas o'i thŷ yn dweud bod hi heb ga'l y nodyn. Rhedon ni'n dwy o gwmpas y pentre yn poeni am Jerome. Roedd hi'n noson ddu iawn yma, Tomos. Y lle yn llawn heddlu a'r gole 'mlân yng ngwersylloedd y milwyr drwy'r nos. Fe gawson ni i gyd orchymyn i aros yn ein tai.

"Daeth Americanwyr eraill, y *military police*, mewn capiau gwyn a gyrru i fyny ac i lawr y strydoedd tan y bore. Roedd Sali a finne yn credu bod Jerome wedi cael 'i ladd, a phwy bynnag aeth â'r nodyn wedi mynd yno i ddial arno fe.

"Ond nid dy dad oedd wedi cael ei saethu. Marc Gilly, mab fferm lleol, oedd wedi cael ei saethu ond roedd dy dad wedi diflannu. Fersiwn PC Wood o'r peth, yn hollol ddi-sail, oedd bod Jerome wedi lladd Marc Gilly ac wedyn wedi lladd ei hunan drwy neidio oddi ar y bont. Y cyfan dwi'n cofio'i feddwl oedd bod job Sherlock Holmes yn saff," meddai wrth geisio gorffen ar nodyn ysgafn.

"Felly dyna'r stori, Tomos. Dyna ni… y cyfan dwi'n wybod. Doedd Sali na fi ddim yn credu fersiwn yr heddwas a phan sonies wrtho am y dynion yn cerdded i gyfeiriad y bont fe anwybyddodd y peth yn llwyr. Roedd bron pawb yn meddwl taw dy dad oedd yn euog a dy'ch chi fel teulu wedi byw o dan y cwmwl hwnnw ar hyd y blynyddoedd. Cofia un peth, Tomos, mae teulu Gilly yn dal o gwmpas y lle a dy'n nhw erioed wedi madde!

"Fuodd dy fam ddim yr un peth am fisoedd wedyn. Ond nes ymlaen, dest ti i'r byd a chodi ei chalon a thaflu goleuni newydd ar bopeth!

"Doedd dy fam ddim eisiau i ti wybod yr hanes – doedd hi ddim am i ti gario'r amheuon, yn enwedig fel plentyn. Dwi'n gobeithio dy fod ti'n deall pam."

Plethodd Tomos ei ddwylo a'u rhoi ar ei ben, gan geisio rhesymu ynghylch yr holl wybodaeth newydd.

"Odw, dwi'n deall pam, Mari. Diolch o galon i chi am adrodd yr hanes. Felly, mae hi'n bosib na laddwyd Nhad a'i fod e'n fyw o hyd."

"Tomos, paid â hyd yn oed meddwl am agor y grachen 'na," dywedodd Mari, ei llais yn caledu wrth iddi sylweddoli arwyddocâd y sylw. "Addo i fi na wnei di fynd ar ôl hanes dy dad. Gad y gorffennol yn y gorffennol, Tomos. Helpa fi i ddewis emyn i dy fam," gofynnodd, mewn llais oedd yn awgrymu bod y sgwrs ar ben. Yna cododd y llyfr emynau a'i agor.

"Un peth arall," dywedodd Tomos gan estyn y nodyn bach oedd yn y bocs. "Roedd hwn yn y bocs hefyd. Mae'n dweud 'To Sally' arno a llofnod Jerome ar y gwaclod – y cyfan sydd yn y nodyn yw cwpled."

Pasiodd Tomos y nodyn i Mari a darllenodd hi'r geiriau.

Dear Sally

I will hold you strongly in my arms again,
And you will forget you ever felt the pain.

Jerome

"O! Dyna ramantus," dywedodd a phasio'r nodyn yn ôl iddo. "Rhamantus iawn. Y math o eirie mae menyw eisiau eu clywed gan ddyn. Cryf a chadarn," ychwanegodd.

"Chi wedi clywed y geiriau hyn o'r blaen, Mari? Mewn cerdd neu yn ystod cyfnod y rhyfel?"

"Na, dwi ddim yn meddwl. Maen nhw'n swnio fel geiriau gwreiddiol dyn mewn cariad i fi."

"Odyn, ond dwi'n credu 'mod i wedi clywed y geiriau 'ma o'r blân, er dwi ddim yn siŵr ble!"

※

Treuliodd Tomos weddill y dydd yn hel meddyliau ac ateb y drws i ambell ymwelydd ddaeth yno i gydymdeimlo a holi am yr angladd.

Roedd Gwyn Jones y cyfreithiwr wedi trefnu bod yr angladd yn cael ei gynnal y Sul canlynol yn Eglwys Llanyborth a dywedodd Tomos y byddai croeso i bawb a the yn nhŷ Mari yn dilyn hynny.

Gosododd y peiriant ateb ar y ffôn a phenderfynu cerdded o un pen i'r pentref i'r llall er mwyn cnoi cil. Ar ôl cerdded y chwarter milltir i ben draw'r pentref daeth at y golofn goffa ac enwau'r milwyr a gollwyd arni. Roedd ganddo atgofion cymysg o'r lle. Cofiai basio'r gofgolofn bob dydd ar ei ffordd i ddal y bws i'r ysgol ramadeg, a bu un o'r dyddiau hynny'n dipyn o drobwynt yn ei hanes.

Ar un adeg, roedd bwlio yn rhemp yn Llanyborth oherwydd mab y plismon, bachgen o'r enw Graham Wood, llanc un ar bymtheg oedd yn fawr am ei oedran ac yn mwynhau dangos ei orchest a manteisio ar rai llai nag ef.

Pe bai rhywun wedi gweld Graham a Tomos wrth iddynt gerdded am y bws, byddent wedi taeru taw anifail ac nid person roedd Graham yn ei yrru o'i flaen. Fel ffermwr crac ar ddiwrnod sêl, roedd y llanc yn gwthio Tomos ymlaen fel dafad anufudd, ac estyn ambell gic yn y fargen wrth daflu enwau hiliol ffiaidd a chiaidd tuag ato. Y geiriau wnaeth ei frifo fwyaf, ond ni allai Tomos wneud dim am y peth.

Daeth bwlio Graham i ben ar 19 Mehefin 1958. Roedd Tomos yn cofio'r union ddiwrnod am reswm arall: diwrnod gêm Cymru yn erbyn Brasil yng Nghwpan Pêl-droed y Byd. Roedd Graham yn arbennig o gas y prynhawn hwnnw, yn cerdded tuag at y pentref â phen Tomos o dan ei fraich mewn clo tyn. Mynnai ei fod yn ailadrodd ar ei ôl bob un o'r enwau drwg arferol er mwyn cadarnhau ei reolaeth lwyr drosto.

Yn ei frwdfrydedd afiach, doedd Graham ddim wedi sylwi ar ddyn ifanc o'r enw Michael Kelly yn gosod blodau wrth droed y gofgolofn er cof am ei dad, Anthony Kelly.

"Gad e, Wood," gorchmynnodd Michael, ond roedd Graham Wood am ddal ei dir. Diystyrodd y gorchymyn a llusgo Tomos heibio i'r gofgolofn fel bachgen hunanol yn gwrthod rhannu ei bêl droed.

"Na wna," meddai Graham gan wasgu migyrnau ei ddwrn

i mewn i wyneb Tomos a chwerthin. "Fi yw mab y plisman," cyhoeddodd.

Roedd dweud hynny fel dangos macyn coch i darw. Cerddodd Michael Kelly atynt yn bwrpasol a'r cyfan y gallai Tomos ei weld, gan fod ei ben wedi ei gloi ym mraich Graham, oedd traed Michael yn dod yn nes ac yn nes ac yna'n stopio o fewn llathen iddynt.

Cofiodd Tomos sut y rhyddhaodd Graham Wood ef yn glou iawn ar ôl i Michael ei fwrw. Roedd wedi hen arfer gweld ymladd rhwng bechgyn ysgol ond roedd hyn yn wahanol. Yn hytrach na bechgyn yn herian gyda geiriau yn unig a thynnu dillad, roedd Michael yn ei fwrw yn galed a chywir yn ei wyneb dro ar ôl tro a Graham yn ymladd yn ôl yn wantan, ei bawennau'n troi yn eu hunfan fel olwyn beic.

O fewn eiliadau roedd Graham i lawr ar un pen-glin, yn gleisiau dulas ac yn ildio popeth. Cyfiawnder Llanyborth, meddyliai Tomos wrth edrych yn ôl, gan gofio hefyd am ddameg Affricanaidd a glywsai rywdro. Dywedai'r ddameg mai cyfrifoldeb y pentref yn grwn yw magu pob plentyn ac nad y rhieni'n unig sy'n gyfrifol. Er iddo ddod ar draws rhywfaint o hiliaeth gan un neu ddau wedyn, cofiai fod gweddill pentrefwyr Llanyborth wedi bod o help iddo ar hyd y ffordd ac wedi ymfalchïo yn ei lwyddiannau hefyd.

*

Cerddodd Tomos yn ôl i gyfeiriad y tŷ a dod ar draws Mari yn cerdded tuag ato fel petai hi wedi bod yn chwilio amdano ers tro.

"Tomos," meddai. "Ti wedi bod am dro?"

"Do, wel, dim ond cerdded o gwmpas yn hel atgofion."

"O... ie... pwysig iawn gwneud hynny. Ond dwi jyst isie dweud rhywbeth. Ar ôl y *chat* bore 'ma."

"O ie?"

"Beth am gerdded ychydig?" awgrymodd Mari ac arwain y ffordd i fyny Clive Lane tuag at bont y rheilffordd.

Edrychodd Tomos ar ei oriawr a sylwi ei bod hi'n chwarter i wyth.

"Ti'n gweld, Tomos, dwi am ymddiheuro i ti. Ar ôl i fi fynd gatre a sôn wrth fy nhad am bopeth roedden ni wedi'i drafod, a'r llunie, dwedodd e nad oedd dim hawl 'da fi fynnu bod ti ddim yn mynd i chwilio am dy dad. Dwedodd e hefyd y dylet ti alw mewn i'w weld e rywbryd… a pheidio bod yn rhy hir cyn gneud."

"Iawn, Mari, diolch. Dyna oedd 'y nghynllun i ta beth. Peidiwch â phoeni."

Daeth y ddau at bont y rheilffordd.

"Dwi'n credu ein bod ni'n sefyll yn yr union fan ac ar yr union amser o'r dydd y safodd Jerome 'ma y nosweth honno," meddai Tomos.

"O!" dywedodd Mari a chodi ei phen, gan edrych o'i chwmpas a gweld pont y rheilffordd o'i blaen. Ar wahân i got newydd o baent llwyd ar yr hen bont, doedd fawr ddim byd arall wedi newid ers cenedlaethau. Edrychodd Tomos ar ei oriawr, a gweld ei bod hi'n wyth o'r gloch.

Ymhen eiliadau daeth sŵn cloncian o rywle i dorri ar y distawrwydd. Camodd y ddau i'r ochr, ac ymhen rhyw hanner munud, gan chwibanu, llusgodd trên Aberdaugleddau heibio yn ddigon araf fel y gallai rhywun neidio arno.

Edrychodd y ddau ar ei gilydd wedi iddo fynd heibio.

"Trên araf… felly dyna shwt aeth e o Lanyborth, Tomos. Nid diflannu, nid cuddio, nid neidio oddi ar y bont ond rhedeg ar y trac a dringo ar gefen trên Milford," cyhoeddodd Mari yn hyderus, a chael ateb mwy pwyllog gan Tomos.

"Ie… Falle… posib iawn – roedd y trene yr adeg honno'n arafach byth hefyd…"

Ar ôl i'r trên fynd o'r golwg, cerddodd y ddau yn ôl a chytuno i gyfarfod yn y bore i ddechrau cael trefn ar y tŷ.

*

Treuliodd Tomos y noson yn darllen y cardiau cydymdeimlad a ddaeth drwy'r drws yn ystod y dydd, er nad oedd e'n adnabod ond rhyw hanner yr enwau arnynt.

Erbyn y saithdegau, achlysurol iawn oedd ymweliadau Tomos â Llanyborth ac o ganlyniad nid oedd yn nabod fawr ddim ar y genhedlaeth newydd oedd yn prysur gymryd drosodd oddi wrth yr hen drefn.

A bod yn deg, doedd ei fam erioed wedi gweld bai arno am beidio â dod gartref yn amlach. Roedd hi'n gwybod bod bywyd yn brysur rhwng y gwaith a'r cymdeithasu yn Llundain. "Dwi'n deall yn iawn, aros di yn fan'na. Dwi wedi bod yn ifanc 'yn hunan unwaith hefyd, cofia!" Dyna yr arferai hi ei ddweud bob tro y byddai Tomos yn ffonio i'w siomi.

Roedd nifer o'r cardiau cydymdeimlo wedi dod gan blant yr ysgol – ac ambell un wedi gwneud llun o'i fam. Gwnaeth un lun o angel. Newydd ymddeol roedd ei fam felly roedd byddin fach o alarwyr wedi ysgrifennu'r pethau anwylaf erioed amdani.

Bu Sali'n ddigon lwcus i gael un o'r ychydig swyddi parhaol yn Llanyborth. Roedd swyddi bron pawb arall lleol y tu fas i'r pentref a golygai hynny yrru milltiroedd i sawl cyfeiriad. Felly, bob bore, tua wyth o'r gloch, byddai prosesiwn o geir yn gadael Llanyborth, yn cario pobl broffesiynol i swyddi yn y trefi a'r dinasoedd oedd o fewn cyrraedd car.

Fel y rhan fwyaf o drefi a phentrefi'r gorllewin, dim ond hyn a hyn o arian fyddai'n symud o gwmpas economi'r pentref. Pan fyddai teulu newydd eisiau symud i Lanyborth, roedd gofyn iddynt ddod â'u harian eu hunain gyda nhw neu sicrhau swydd y tu fas i'r ardal er mwyn eu cynnal.

Byddai eithriadau, wrth gwrs, a theulu Harri Cashman oedd yr amlycaf ohonynt. Ac yntau'n cwyno â gwynegon er mwyn hawlio pob math o fudd-daliadau, fyddai Harri byth yn ymostwng i ddwyn ond byddai'n chwilio am bob cyfle posib i feddiannu unrhyw beth roedd siawns i'w werthu.

Cofiai Tomos am yr unig sgwrs a fu rhyngddo a Harri erioed ar ôl iddo weld Harri yn busnesan o flaen tŷ hen wraig weddw. Roedd hi newydd golli ei gŵr – y gof – ac wedi trefnu bod y cyngor yn dod i symud arfau'r efail oddi yno.

"Gwynegon," meddai wrth Tomos, er nad oedd Tomos wedi ei holi. "Ffaelu gweithio," ychwanegodd wedyn, cyn codi eingion drom yr olwg yn eithaf didrafferth a'i gosod yng nghefn ei gar.

8

Yr Angladd

ROEDD ANGLADD SALI Lloyd yn debyg i bob angladd arall yn Llanyborth ond fod mwy o bobl wedi dod iddi nag i unrhyw angladd arall yn yr eglwys ers amser.

Yn ffodus i Tomos, bu Mari yn gefn emosiynol iddo yn ystod y gwasanaeth. Roedd Tomos wedi penderfynu gadael i'r eglwys gymryd yr awenau o ran y gwasanaeth ei hun. Yn ôl y drefn, doedd Tomos ddim wedi bwriadu siarad yn ystod y gwasanaeth ond ar ôl anerchiad y ficer a chyfraniad meddylgar a thyner Gwyn Jones penderfynodd godi ar ei draed ac wynebu'r gynulleidfa.

Achosodd hyn ychydig o ddryswch ymysg y rhai oedd wedi trefnu'r seremoni ond i bawb arall roedd gweld dyn yn codi ar ei draed yn angladd ei fam yn ddigwyddiad digon arferol.

"Mam," cyhoeddodd Tomos ac edrych ar y môr o wynebau tawel o'i flaen. "Roedd Mam yn ferch Llanyborth."

"Oedd, roedd hi'n ferch Llanyborth," porthodd un o'r hen ddynion yn y cefn ac fe wenodd ambell un o'i glywed yn porthi.

Gwenodd Tomos hefyd. "Oedd, roedd hi'n ferch Llanyborth, ond roedd hi'n fwy na hynny hefyd. Dwi wedi bod yn mynd trwy hen bethe Mam yn y tŷ, a dod ar draws hwn."

Aeth Tomos i'w boced ac estyn darn o bapur swyddogol yr olwg a'i agor yn bwyllog cyn ei ddarllen.

"3 May 1943, Sally Rachel Lloyd. Final School Report." Cliriodd Tomos ei lwnc cyn parhau i ddarllen. "Headmaster's

Comment. Sally has completed her studies here to the highest standard and is a credit to this school, to you as parents and to herself. Her conduct has been impeccable throughout and I look forward to hearing about her future success. The Scholarship she has won to enter Oxford is very, very well deserved."

Rhoddodd Tomos y papur heibio yn bwyllog ac anadlu'n drwm. Roedd yr adroddiad wedi creu cryn argraff ar y gynulleidfa wrth i rai estyn am hances am y tro cyntaf y prynhawn hwnnw.

"Na, doedd fawr neb yn gwybod am yr ysgoloriaeth. Yn sicr, do'n i ddim," ychwanegodd Tomos ar ôl hoe fach.

"Un peth stopiodd Mam rhag cymryd y cyfle yna, sef fi! Fi oedd yn gyfrifol am iddi golli'r cyfle. A dwi yma heddiw o'ch blaen chi am iddi ddewis treulio ei bywyd gyda fi, a gyda chi, yma yn Llanyborth. A nabod Mam, pe bydde hi'n cael 'i hamser 'nôl eto, fydde hi'n newid dim. Newid dim byd o gwbwl."

Eisteddodd Tomos a gwasgodd Mari ei fraich yn dyner wrth i'r ficer gyhoeddi'r emyn nesaf.

*

Ar ôl y gwasanaeth, safodd Tomos wrth iet yr eglwys er mwyn ysgwyd llaw â phawb a ddaeth i'r angladd. Yr olaf un yn y rhes, â gwên ar ei wyneb a llaw gadarn a chynnes, oedd Michael Kelly. "Mae'n ddrwg iawn 'da fi am dy golled, Tomos. Trist iawn i ni i gyd fel pentre."

"Diolch. Mae'n dda dy weld ti 'to."

"Ti'n ffansïo peint?" gofynnodd Michael.

"Mae hi'n ddydd Sul – bydd y Blue wedi cau," atebodd Tomos yn ddigon tawel rhag i neb arall glywed y drafodaeth am yfed ar y Sul ar dir sanctaidd.

"Paid â phoeni…" dywedodd Michael gan gyffwrdd â'i

drwyn. Pwysodd 'mlaen er mwyn awgrymu cyfrinach. "Mae 'da fi drefniant bach."

*

Roedd perchennog y dafarn leol yn cwyno o dan ei anadl wrth dynnu cwpwl o beints o Guinness. Gosododd y diodydd ar y bwrdd o flaen y ddau cyn mynd yn ôl at ei ginio dydd Sul.

Adroddodd Tomos yr hanes am ei dad ac am syniad Mari ei fod wedi neidio ar drên i Aberdaugleddau a dianc.

Ar ôl gwrando ac yfed yn frwdfrydig crynhodd Michael y stori. "Felly ro'dd dy dad wrth y bont yn disgwyl am dy fam ond yn lle dy fam daeth Marc Gilly yno. Fe aeth pethe'n ffluwch a diwedd y stori o'dd bod dy dad wedi diflannu a Marc Gilly wedi ei saethu'n farw. Dy dad gafodd y bai. Ond ro'dd Mari wedi gweld dau ddyn dierth ac fe anwybyddodd yr heddlu hynny. Dwi'n cymryd bod yr heddlu yn dal ar drywydd dy dad er mwyn ei holi fe am y llofruddiaeth?"

"Dwi ddim yn hollol siŵr, er eu bod nhw, siŵr o fod," meddai Tomos, yn edrych fe pe bai realiti'r geiriau newydd ei daro.

Closiodd Michael ato, fel pe bai am rannu cyfrinach, er nad oedd neb arall yno'n gwrando.

"'Nest ti sylwi ar y dyn yn yr eglwys heddiw – yr un tal yn gwisgo esgidiau Dr Martens du oedd ddim yn addas i ddyn eu gwisgo gyda siwt?"

"Naddo," atebodd Tomos. "Roedd y lle mor llawn... 'Nes i ddim hyd yn oed sylwi arnat ti. Pwy oedd e?"

"Ditectif o Gaerfyrddin o'r enw Jack. Dwi wedi'i weld e o gwmpas y pentre yn ddiweddar. Busnesan. Gobeithio y bydde dy dad yn dod i'r angladd, siŵr o fod. Weles i fe'n parcio ei gar – Ford mawr – *unmarked police car!*"

"Wyt ti'n meddwl bod nhw'n dal ar ôl Nhad? Ar ôl yr holl flynyddoedd?" gofynnodd Tomos.

"Wrth gwrs. Mae datrys hen lofruddiaethe yn bluen yng nghap yr heddlu."

"Wyt ti'n cofio, fel plentyn, teimlo dy fod ti a dy fam yn cael 'ych dilyn o gwbl?" holodd Michael.

Meddyliodd Tomos am rai eiliadau cyn cofio un digwyddiad yn benodol. "Dwi'n cofio mynd i Gaerfyrddin ar ddiwrnod fy mhen-blwydd a Mam yn ein rhedeg ni'n dau i mewn i siop Evans and Wilkins i guddio achos ei bod hi'n amau bod dyn yn ein dilyn."

"Falle bod yr heddlu yn gwbod am y digwyddiade teuluol, fel penblwyddi, ac yn gwneud pwynt o'ch dilyn chi ar yr achlysuron hynny yn y gobaith y bydde dy dad yn dod i gwrdd â chi. A heddiw, diwrnod trist iawn, meddylia fod y diawled wedi dod i'r eglwys."

"Michael… ti'n iawn. Mae'n rhaid eu bod nhw'n dal ar ei ôl e felly."

Cytunodd Michael. "Ydyn, dwi'n llawn cydymdeimlad â dy fam a ti, wedi gorfod byw o dan y cysgod yna."

"A bod yn onest, dim ond nawr dwi 'di dod i wbod yr hanes 'ma – doedd dim syniad 'da fi am y llofruddiaeth a dim syniad pwy oedd fy nhad ar hyd y blynyddoedd. Ond mae 'da fi awydd mynd i chwilio – ti'n gwbod – dod o hyd i Dad, os galla i. Dwi'n teimlo bod rhaid i fi drial. Rhoi'r gorffennol mewn trefen er mwyn deall y presennol yn well. Ti'n deall?"

"Wrth gwrs, Tomos. Ond cofia un peth. Os wyt ti am fynd i chwilio am dy dad – a'i fod e'n dal yn fyw – fe elli di arwain yr heddlu'n syth ato fe. Felly mae'n rhaid i ti brofi nad dy dad oedd yn gyfrifol am y saethu ar yr un pryd."

Taniodd Michael sigarét a chwythu cwmwl i ganol yr ystafell. "Bydd y pethe 'ma'n fy lladd i yn y diwedd."

"Dwi'n cytuno, Michael – cael gwared o'i enw drwg. Fe fydd hynny'n gyfrifoldeb ychwanegol."

"Yn hollol. Felly bydd yn ofalus. Un posibilrwydd yw ei

fod wedi dianc i Iwerddon, wrth gwrs. Dal trên Milford i'r porthladd, ac yna neidio ar gwch i'r Ynys Werdd. Bydde nifer o longau Gwyddelig yn hwylio bryd hynny.

"Roedd Iwerddon yn niwtral, wrth gwrs. O fynd yno, bydde'r Gwyddelod wedi ei gadw'n saff hyd ddiwedd y rhyfel. Yn yfed digon o hwn, gobeithio." Cododd Michael ei wydr gyda gwên ac yfed hanner y peint ar ei dalcen. "Ffordd berffaith i oroesi rhyfel, Tomos!"

Chwarddodd Tomos yn uchel wrth ddychmygu'r peth. "Stori ffantasi dda, Michael."

"Dwi'n gwbod. Rhamantus iawn. Dwi'n siŵr bod 'na ateb mwy syml."

Aeth Michael i'w boced, estyn pensil a throi'n ffurfiol am funud fach.

"Mae 'na un person dwi'n nabod a allai dy helpu. Mae e'n arbenigwr ar y rhyfel."

Ysgrifennodd Michael enw ar y darn papur a'i basio i Tomos. "*Academic* yn Oxford University. Mae e'n *boring* ond yn gwbod popeth am ryfela – ond rhyngot ti a fi… bydde fe'n anobeithiol mewn ffeit ei hunan.

"Ond ti byth yn gwbod. Sgrifenna ato fe. Falle gallith e dy helpu di."

*

Drannoeth, aeth Mari a Tomos ati i barhau â'r gwaith o roi trefn ar gynnwys y tŷ. Roedd Tomos eisoes wedi awgrymu bod gwerthu'r tŷ yn fwy tebygol na'i gadw, felly roedd angen edrych ar yr holl gynnwys. Yn y tŷ roedd pethau a fu'n perthyn i sawl cenhedlaeth: dillad, dodrefn, llyfrau a chymysgedd o bethau eraill gwahanol.

"Dewch i'r garej gyntaf, Mari. Mae 'da fi chwant cael sgip a thaflu bron popeth mas, felly dwi angen cyngor ar beth i'w gadw."

Aeth y ddau ati i ddidoli, ac er nad oedd car yn y garej roedd y lle'n llawn offer o bob math.

"Blerwch yr oesoedd," cyhoeddodd Tomos cyn dod at y gwialennod pysgota. Cododd ddwy wialen hardd. "Hen wialennod pysgota fi a Tad-cu."

"Maen nhw fel newydd." Cododd Mari un yn ei llaw. "Dwi'n cofio, ar ôl i dy dad-cu fynd yn rhy dost, i ti benderfynu cymryd y dyletswyddau pysgota a dala dy sewin cynta gyda'r wialen hon, Tomos. Mae 'da fi lun ohonot ti yn dala'r pysgodyn 'nôl gatre yn rhywle!"

"Ie, dwi'n cofio'n iawn. Ar ôl i fi ddala'r pysgodyn, daeth un o'r pysgotwyr eraill a chymryd y sewin bant achos doedd 'da fi ddim *permit*. Fe redes yr holl ffordd gatre yn fy nagre i ddweud yr hanes."

"Dwi'n cofio – a Nhad wedyn yn mynd fel taran i dŷ'r pysgotwr a dod â'r pysgodyn yn ôl i ti!"

Roedd Tomos yn cofio popeth fel ddoe. "Roedd Glyn yn grac iawn, on'd oedd e? Achos mai fe a Tad-cu sefydlodd y clwb yn y lle cynta. Wedyn – ar ôl i Glyn godi ofon ar bawb yn y clwb – fe ges i aelodaeth am oes."

"Ie, dim ond ti sydd wedi cael y statws yna gan y clwb pysgota eriôd. A dy dad-cu a Nhad, wrth gwrs."

*

Yn ôl yn y tŷ, agorodd Mari ddrysau'r cwpwrdd dillad enfawr yn yr ystafell wely fwyaf a daeth arogl sawl cenhedlaeth mas ohono. Roedd yn llawn hen gotiau a dillad oedd wedi bod yno'n ddigon hir i fynd mas o ffasiwn a dod 'nôl unwaith eto.

"Tomos, mae hyd yn oed hen ddillad dy fam-gu 'ma. Doedd dy fam ddim yn galler towlu dim byd, nag oedd?"

Prin bod modd clywed llais Mari wrth iddi ddiflannu – yn gyfan gwbl – i mewn i'r cwpwrdd dillad enfawr, cyn dod 'nôl mas ar ôl hanner munud â llond ei breichiau o gotiau amrywiol, a'u gosod ar y gwely. Am weddill y prynhawn, bu Mari'n brysur yn cario dillad a dod o hyd i hen ryfeddodau, a deuai stori am bron pob dilledyn ac esgid a ddaeth i'r golwg.

Un o'r pethau olaf i ddod mas o'r cwpwrdd oedd hen got ffwr a wisgai Sali Lloyd pan fyddai hi am fod yn Miss Sally Lloyd. Dyma'r ddelwedd ar gyfer y tripiau i drefi a dinasoedd y tu hwnt i Glawdd Offa.

Aeth Tomos i chwilio ym mhocedi'r got ffwr ac er mawr ddifyrrwch i'r ddau tynnodd lipstic mas. "Mari, mae'r lipstic coch yn dal yma!"

Ond roedd rhywbeth arall yno hefyd, yn ogystal â'r lipstic. Bocs modrwy glas tywyll.

"Mari, edrych ar hwn!"

Agorodd Tomos y caead.

"Modrwy fach ddel," meddai Mari wrth dynnu'r fodrwy mas o'r bocs. "Lwcus i ti ei gweld hi."

"Mae'n rhaid bod Mam wedi anghofio popeth amdani."

*

Aeth Tomos i wneud cwpanaid yr un iddynt ac ar ôl dod 'nôl eisteddodd y ddau ar y gwely i'w hyfed.

"Beth sydd ar dy feddwl di, Tomos? Dwi'n dy nabod ti'n ddigon da," meddai Mari.

"Beth oedd enw llawn George, yr Americanwr?" gofynnodd Tomos iddi'n syth.

"George Fairwater Jnr, Captain," atebodd hithau, ac yna ychwanegu nifer o rifau oddi ar ei chof. "Eleven, zero, seven, eight, zero, seven, eight."

Edrychodd Tomos yn syn arni. "Ry'ch chi'n dal i gofio ei hen rif milwrol? Ar ôl yr holl flynyddoedd?"

Cododd Mari i fynd. "Odw, dwi'n galler cofio… Ti byth yn

anghofio rhif os oes gwir ots 'da ti am y person, wyt ti? Reit, fi am fynd gatre at Dad, a cofia dy fod ti'n dod draw i'w weld e rywbryd. Mae e wedi gofyn."

"Iawn, Mari, dwi'n cofio, a diolch am eich help."

Ar ôl i Mari adael, aeth Tomos i nôl ei lyfr rhifau ffôn a chwilio am enw 'Elfed Williams, Private Investigations' yn Llundain. Roedd Elfed wedi bod yn cynghori Tomos ar arferion *gangsters* yr East End – neu "hŵrs a lladron", fel yr hoffai Elfed eu galw.

"Helô, Elfed! Tomos Lloyd sydd 'ma. Sut mae pethau?"

"Helô, Tomos. Dwi'n iawn – sut wyt ti? Hei, mae'n ddrwg gen i glywed am dy fam."

"Diolch, Elfed. Digwyddodd y peth yn glou iawn. Mae'r angladd newydd fod. Diwrnod trist iawn… ond mae 'da fi dipyn o waith i ti, a dwi'n fodlon talu!"

"Iawn – beth sydd gen ti mewn golwg?"

"Dod o hyd i ddou hen filwr – Americanwyr. Fyddet ti'n gallu ymchwilio a chael gwybodaeth am y ddou?"

"Iawn – rho'r manylion. Mi wnaf fy ngorau!"

"OK. Dyma'r enwe: Jerome Towers, milwr oedd yn Llanyborth adeg y rhyfel, a'r Capten George Fairwater Jnr. Dyma ei rif milwrol: *eleven, zero, seven, eight, zero, seven, eight*."

"Iawn, Tomos – mi wnaf fy ngorau. Efallai bydd angen dipyn o chwilota."

"Iawn, Elfed, a diolch i ti. Hwyl am y tro."

*

Ar ôl diwrnod arall o glirio a gwacáu roedd y llecyn o flaen y tŷ yn llawn hen bethau o bob math, gan gynnwys gwely sengl wedi'i dynnu'n ddarnau, yn pwyso ar dalcen y tŷ.

Wrth i Tomos sefyll yn y gegin yn darllen y *Radio Times* yn y gobaith y byddai rhywbeth heblaw ailddarllediadau *Bergerac* ac

Allo Allo yn cael ei gynnig y noson honno ar y teledu, fe glywodd gryndod injan car yn agosáu at y tŷ.

Edrychodd drwy'r ffenest a gweld hen Morris Oxford a oedd wedi gweld dyddiau gwell yn dod i'r golwg a pharcio yn annifyr o agos at y tŷ. Er bod gyrrwr y car wedi heneiddio roedd Tomos yn adnabod ei wyneb yn syth – Harri Cashman, a bachgen yn ei arddegau wrth ei ymyl.

Heb ddweud gair na chydnabod Tomos mewn unrhyw ffordd, neidiodd y bachgen ifanc mas o'r car a dechrau llwytho mân ddodrefn i'w gefn. Wrth iddo lwytho, eisteddai Harri yn dawel y tu ôl i olwyn yr hen gar. Wedi i'r bachgen lenwi'r car, nodiodd Harri i gyfeiriad y gwely sengl wrth dalcen y tŷ. Ochneidiodd y bachgen cyn mynd ati i geisio llwytho'r gwely hefyd. Roedd y car yn llawn dop a gwyliodd Tomos yr olygfa wrth i'r car besychu oddi yno – oherwydd nad oedd lle yn y car, roedd y bachgen cwynfanllyd ar do'r cerbyd yn gafael am ei fywyd.

Yng nghanol y cynnwrf, canodd y ffôn. Elfed Williams oedd yno.

"Mae gen i wybodaeth i ti. Y milwr Jerome Towers i gychwyn. Roedd e yn Llanyborth – mae'r cofnod yn dweud hynny, fel y gwyddost – ond dim mwy na hynny. Mae yna waharddiad swyddogol ar gael mwy o wybodaeth amdano yn anffodus. Ymddiheuriadau!"

"Ond am y llall, George Fairwater, roedd hwn yn wahanol. Dim problem dod o hyd iddo – ac a dweud y gwir, mae fy ymchwil wedi darganfod cyfeiriad iddo. Oes gen ti ddarn o bapur i wneud nodyn?

"Mae'n byw yn Santa Monica. Dyma'r cyfeiriad: Fflat 4d, 2347 Santa Monica Boulevard."

*

Y noson honno, cyfansoddodd Tomos lythyr i'w anfon at George Fairwater yn ei gyflwyno ei hun ac yn egluro ei fod yn chwilio am ei dad. Yn y bore, cerddodd draw at y siop yn y pentref i drefnu ei bostio ato.

Pan oedd yn fachgen, byddai Tomos yn mynd i'r siop leol gyda rhestr siopa ei fam yn ei law a bag o dan ei fraich. Cofiodd y byddai gan Teg, y perchennog bryd hynny, gorgi ufudd o'r enw Titmus oedd yn tueddu i orwedd o flaen y stof baraffîn yng nghanol y siop gan ddwyn y gwres i gyd.

Un diwrnod oer o aeaf, arbedodd Tomos fywyd y ci bach pan dynnodd sylw Teg at y mwg oedd yn codi o gyfeiriad y ci, a orweddai'n rhy agos at y stof baraffîn. Cafodd Tomos fagaid mawr o losin fel gwobr am y rhybudd amserol.

Ond wrth iddo gerdded i mewn i'r siop heddiw cofiodd fod Teg a Titmus wedi hen, hen fynd, a theulu o Birmingham yn berchen ar y lle erbyn hyn.

"Can I have a letter sent special delivery to America?" gofynnodd Tomos i fenyw flêr yr olwg y tu ôl i'r cownter.

"You need the post office for that, I'll call her."

Gwaeddodd y fenyw yn groch ar draws y siop. "Janine… Customer."

Daeth Janine i'r golwg – geneth ifanc, swil, fersiwn iau ond dipyn mwy dymunol na'i mam. Aeth y tu ôl i ffenest fach yng nghornel y siop gydag arwydd 'Post Office' uwch ei phen.

"Alla i eich helpu?" gofynnodd yn dawel, ond cyn i Tomos gael cyfle i ateb daeth llais ei mam eto.

"She learnt Welsh in school – now she's left and she pays her dad and me rent for using that corner of the shop, you see. It's a trial to see how she gets on."

Cochodd Janine.

Gosododd Tomos y llythyr yn ofalus o'i blaen.

"Llythyr i'r Unol Daleithiau, os gwelwch yn dda."

"Pedair punt am wasanaeth cyflym."

Rhoddodd Tomos y llythyr iddi a thalu. Daeth llais y fam eto.

"Don't forget to ask him if he wants to buy a raffle ticket, Janine. Tell him he could win the shop hamper. And tell him what's in the hamper as well, he might buy two tickets then."

Roedd hi'n amlwg bod y fam yn ceisio pwmpio pawb am bob ceiniog.

Roedd anesmwythyd y ferch druan yn amlwg. Gwenodd Tomos arni.

"Does dim rhaid i ti sôn beth sy i'w ennill yn y raffl – gymra i ddou."

*

Dear Mr George Fairwater,

I hope this letter finds you well. I will get straight to the point. Are you the same George Fairwater who served in the US Army during the Second World War and was stationed at Llanyborth? If you are not, then this letter is not meant for you and I am sorry to have troubled you.

If you are the same man, then this letter has reached its destination…

*

Gwthiodd y postman y llythyr drwy'r drws ben bore ond arhosodd yr amlen ar y carped nes i George Fairwater ei gweld wrth iddo basio ychydig oriau'n ddiweddarach. Roedd Fflat 4d, 2347 Santa Monica Boulevard yn gartref a adlewyrchai fywyd llewyrchus a llwyddiannus. Roedd George yn ŵr gweddw erbyn hyn, ond yn ffodus i fod mewn cyflwr eithaf iach a heini ei hun.

Cerddodd draw at y balconi, eistedd i lawr i agor y llythyr

a'i ddarllen yn ofalus ddwywaith. Yna tynnodd ei sbectol ddarllen oddi ar ei drwyn a mynd i chwilio am y ffôn.

*

Ar yr un pryd yn Llanyborth roedd Gwyn Jones y cyfreithiwr yn eistedd yn y tŷ gyda Tomos ac yn edrych yn gysurus iawn yn y gadair Parker Knoll. Roedd newydd gadarnhau bod ei fam wedi gadael y tŷ a phum mil o bunnoedd i Tomos yn ei hewyllys. Roedd y ddau wedi mynd ymlaen i drafod y cwestiwn o werthu. Yn ôl yr hen gyfreithiwr, roedd y tŷ wedi bod yn angor i Tomos a dylai ei gadw gan fod pawb angen angor mewn bywyd.

"Dwi'n gwybod y byddai dy fam wrth ei bodd petaet ti'n dod yma dy hun i fyw, a magu teulu dy hun efallai?" Rhoddodd ei gwpan yn ofalus ar y soser ac edrych o gwmpas yr ystafell. "Dwi'n gwybod bod angen côt o baent a diweddaru rhywfaint yma a thraw efallai. Ond mae'n dŷ solet, Tomos."

Gwenodd Tomos. Dyna'r math o beth yn union y byddai ei fam wedi'i ddweud o'r un gadair yn union, pe bai hi'n dal yno.

"Dwi wedi byw yn Llundain ers ugain mlynedd, dwi newydd brynu fflat yno a fan'no mae'r gwaith ysgrifennu i gyd. Gwyn, dwi'n mwynhau dod yma i ymweld, ond dwi ddim yn gweld fy hunan yn dod yn ôl i fyw yma chwaith."

"Digon teg, Tomos, ond beth am i ti beidio â rhuthro i werthu? Cofia fod gen ti dipyn o draddodiad a hanes yma, felly cymer dy amser."

"Iawn, Gwyn, cyngor da. Diolch."

"Dim problem. Mae gen i un newydd arall i ti. Dwi wedi ymddeol. Delio efo ewyllys dy fam yw fy ngweithred olaf fel cyfreithiwr."

"O, dwi'n gweld. Da iawn, ymddeoliad hapus, a haeddiannol hefyd," ychwanegodd Tomos.

"Ia, dwi wedi bod yn cynllunio'r peth ers tro, ac wedi dewis heddiw fel y diwrnod olaf. Addas iawn hefyd mai bod o gymorth i dy fam oedd y weithred olaf – cleient oedd yn fwy o ffrind na dim byd arall."

"Oes 'da chi gynllunie ar gyfer yr ymddeoliad?"

"O, oes. Dwi wedi gwerthu fy nghwmni ac wedi gwerthu'r tŷ hefyd. Dwi'n arwyddo'r gwaith papur yfory. Wedyn dwi am fynd i deithio'r byd. Mae fy ngwraig a finna am fynd i deithio am fisoedd, ac wedyn awydd prynu bwthyn pysgotwr wrth y môr yn y gogledd ac efallai fflat yn Portsmouth, lle mae'r mab a'i deulu yn byw, er mwyn bod yn agos at y plant."

"Hyfryd iawn. Mae 'da fi un cwestiwn cyn i ni orffen."

"Ie, beth sydd ar dy feddwl di?" gofynnodd y cyfreithiwr, gan geisio gwneud yn ysgafn o'r peth ond gan wybod yn iawn fod un cwestiwn amlwg heb ei drafod.

"Gwyn, mae Mam wedi gadael arian i fi, ond pwy sydd wedi cael y gweddill? Mari falle?"

Edrychai Gwyn ychydig yn anesmwyth, a chymerodd lond ysgyfaint o wynt cyn ateb. "Fe adawodd hi'r gweddill i un neu ddau o unigolion ac achosion da, wrth gwrs, megis y rhodd i Ysgol Llanyborth, er enghraifft… Chwarae teg iddi."

"Ie, cytuno, chwarae teg… ond dwi'n credu bod eitha tipyn – ugain mil falle? Ody hi wedi gadael yr holl arian yna i achosion da? Oes rhywbeth i Mari, ei ffrind gore?"

Casglodd Gwyn y gwaith papur swyddogol yn bentwr taclus a'i roi yn ei fag. "Dyw Mari ddim angen arian. Mae hi'n gysurus iawn." Cododd ar ei draed, ac edrychai fel petai'n awyddus i gloi'r sgwrs.

"Efallai bod dy fam wedi penderfynu rhoi'r arian yn y modd a fyddai'n gwneud y gwahaniaeth mwyaf. Y cyfan dwi'n wneud ydy gweithredu ei dymuniad – mae hi'n amlwg ei bod hi wedi gadael arian i bobol oedd wedi ei helpu dros y blynyddoedd, ac efallai bod arnyn nhw angen yr arian yn fwy na Mari."

Cyn i Tomos gael cyfle i ofyn mwy, canodd y ffôn a chododd

y cyfreithiwr o'i gadair yn eiddgar, fel petai wedi amseru'r alwad ei hunan.

"Dwi am fynd, mae gen ti alwad. Pob hwyl, Tomos."

Cododd Tomos y ffôn heb ddisgwyl clywed acen Americanaidd gref yr ochr arall.

"Am I speaking with Mr Thomas Lloyd? This is George Fairwater… Jnr."

"You received my letter safely then, Mr Fairwater?"

"Yes, I did… Thank you… quite a shock… and I remember Jerome, your father, very well. We called him 'J'."

Cydymdeimlodd â Tomos ar ei golled ac egluro sut y daeth ei dad ac yntau'n ffrindiau er gwaethaf y tensiynau hiliol a fodolai rhwng y milwyr duon a'r rhai gwyn. Roedd hi'n amlwg bod ganddo feddwl mawr ohono ond ychwanegodd nad oedd wedi ei weld na chlywed ganddo ers y dyddiau hynny.

"Oh yes, there was one thing you may not know about him. He was by far the best shot in the whole division. A marksman, good balance… good eyes… "

Eglurodd Tomos fod dirgelwch yn dal i fodoli ynglŷn â llofruddiaeth Marc Gilly a gofynnodd a oedd George yn cofio unrhyw beth am hynny, a'r hyn ddigwyddodd i'w dad wedyn.

Tawelodd ei lais ychydig cyn ateb. "I do know about it but I am a little reluctant to discuss the detail on the phone – with all due respect to you, Thomas. I presume he is still wanted for that crime, although I don't think he did any wrong. I would rather go into that face to face. I'm due to come to London next year, would that be soon enough?"

"Would you be free to meet me, George? If I came over to the US?"

"Just let me know when, Thomas."

"How about next week?"

"I would be pleased to meet you… like I was pleased to meet your father before you."

9

George Fairwater

BUM NIWRNOD YN ddiweddarach, roedd Tomos ar awyren Boeing 747 yn teithio i Los Angeles.

Cyn i'r awyren adael, helpodd Tomos fenyw yn ei chwedegau i godi ei bag i'r locer uwch eu pennau. Ar ôl eistedd nesaf ato, tynnodd y fenyw ei gweu mas a dechrau clician gan ddweud ei bod yn gobeithio gorffen y siwmper cyn glanio. Roedd hi'n atgoffa Tomos o Efa, ei fam-gu, gan y byddai hithau'n gweu yn ddi-stop hefyd ac yn cynhyrchu pob math o siwmperi a dillad eraill. Roedd Tomos yn gallu dygymod â'r sanau gwely mawr gwlanog gan fod y rheiny'n aros o'r golwg, ond roedd y fest yn fater gwahanol iawn. Fest dyllog wedi ei gweu â llinyn gwyn, caled, yn fawr a thrwchus fel arfwisg milwr Normanaidd.

Er mwyn cadw ei hun yn gynnes rhag oerfel y gaeaf, gwisgai Tomos y festiau yn ufudd trwy ei blentyndod ond erbyn ei arddegau cynnar roedd y fest yn bwnc llosg ac yn destun dadl rhyngddo a'i fam, a hithau'n rhoi pryd o dafod iddo pan fyddai'n ei ddal yn mynd hebddi. Roedd Tomos wedi breuddwydio am gael fest Ladybird fel gweddill y bechgyn lawer tro. Yr embaras mwyaf oedd y tynnu coes wrth iddo newid o flaen y bechgyn eraill yn y gwersi chwaraeon.

Pan oedd yn blentyn bach, roedd Tomos yn dychmygu bod pawb yn y teulu yn gwisgo festiau tebyg, ac er nad oedd wedi gweld ei fam-gu na'i fam yn eu gwisgo erioed, roedd ei dad-cu yn eithaf balch o'i un ef. "Ni'n dwym neis yn y rhain," cyhoeddai wrth i'r ddau sefyll o flaen y sinc yn brwsio eu dannedd yn y boreau.

Cofiai Tomos iddo gael llond bola a mynd â'r fest i'r sied ryw brynhawn a'i thynnu bob siâp er mwyn ei gwneud yn amhosib ei gwisgo. Yna bu'n rhaid iddo esgus bod yn siomedig wrth ei rhoi i'w fam a'i fam-gu gan gyhoeddi bod dyddiau'r fest ar ben.

Ond wrth iddo fynd am ei wely y noson honno, clywodd sŵn ei fam-gu yn datod y fest er mwyn ailgylchu'r llinyn. Erbyn y bore, a mas o lwch y llall, roedd fest dyllog newydd sbon yn aros amdano ar waelod ei wely.

Clywodd Tomos y gorchymyn i wisgo'r gwregysau ac wrth i'r awyren baratoi i lanio sylweddolodd fod siwmper newydd wedi ymddangos ar gôl yr hen fenyw, ond ei bod hi bellach wedi syrthio i gysgu o ganlyniad i'r ymdrech.

*

Roedd George Fairwater yn aros amdano. Dyn pwyllog a smart ydoedd, gyda gwallt gwyn, un llaw gymwynasgar yn estyn am fag Tomos a'r llall yn ysgwyd ei law yn groesawgar. Eglurodd ei fod wedi trefnu pryd o fwyd mewn bwyty ar yr arfordir y noson honno.

Roedd Tomos yn ei chael hi'n anodd ymlacio wrth iddo eistedd ger y gyrrwr brwdfrydig oedd yn siarad fel pwll y môr ac yn edrych mwy arno ef nag ar y ffordd o'i flaen.

"I have also laid on the entertainment… some of the most beautiful creatures in the world. Dolphins."

*

Eisteddodd y ddau i fwyta y noson honno ar y bwrdd fyddai fel arfer yn cynnig y golygfeydd gorau o'r dolffiniaid, ond oherwydd y niwl doedd fawr ddim i'w weld. Eglurodd Tomos ei fod, ac yntau wedi ei fagu yng Nghymru, yn hen gyfarwydd â thywydd niwlog.

Syllodd y ddau mas i'r môr. Cododd George fys a phwyntio i fola'r niwl.

"There's one. There's a dolphin."

Yn y pellter roedd hi'n bosib gweld ci gefn hyfryd yn torri'r dŵr yn urddasol.

Ar ôl archebu'r bwyd a'r gwin, gwrandawodd George yn ofalus wrth i Tomos fynd ati i adrodd popeth a wyddai am ei dad, gan gynnwys syniadau Mari a Michael Kelly ei fod wedi dianc ar y trên ac wedyn ar long i Iwerddon.

Mynd ati i hel atgofion am y rhyfel wnaeth George, yn hytrach nag ymateb i'r syniadau hynny. Soniodd am ei amser yn Llanyborth a bod gan y milwyr gwyn a'r rhai duon wersylloedd ar wahân. Holodd am Mari ac aeth ymlaen i ddweud sut y cyfarfu ei dad a'i fam â'i gilydd am y tro cyntaf.

Aeth Tomos i'w boced ac estyn yr hen luniau oedd ganddo.

"You should be proud of your parents, Thomas… Handsome young people they were, they made a lovely couple."

Gwenodd Tomos. Doedd e ddim wedi clywed neb yn siarad amdanynt fel yna o'r blaen.

Soniodd George am atgasedd rhai o'r dynion lleol tuag at filwyr oedd yn canlyn merched lleol, ac yn enwedig yr atgasedd hiliol tuag at ei dad.

"You could say we brought racism with us to Britain because you didn't really have it before we came."

Ar ôl seibiant, holodd Tomos ei gwestiwn pwysicaf y noson honno. Beth ddigwyddodd i'w dad wedi i Marc Gilly gael ei ladd?

"Your father didn't escape on that train, Thomas."

"So what happened then, George? Did he die?"

Bu George bron â thagu ar ei frithyll môr wrth glywed sôn am farwolaeth.

"Die? Hell, no."

Eglurodd George fod heddlu militaraidd yr Americanwyr wedi chwilio amdano drwy'r nos, a'r adeg honno byddai wedi cael ei grogi pe byddai wedi'i gael yn euog o lofruddiaeth.

Daliodd George lygaid y gweinydd a chwifio potelaid wag o win i'w gyfeiriad. Wrth aros am yr ail botelaid, gofynnodd Tomos iddo a oedd ganddo unrhyw syniad beth ddigwyddodd i'w dad wedi'r saethu.

"He hid in the woods for an hour or two but when the search parties went looking for him he took his chances and ran into the road. Not long afterwards, along came a car and by chance it was driven by someone who knew him and he picked him up. The man who picked him up was always around our camp, buying and selling things. He had a pink tie and was a little bit of a poser, and drove a red sports car that looked like a rocket. He smuggled your father through to me in the back of his car under a blanket."

"Ah. That would be my Uncle Ffred."

Eglurodd George beth ddigwyddodd wedyn. Roedd wedi gwneud ffrind oedd yn swyddog ym myddin y 29ain Adran wrth groesi ar y llong o America. Er mwyn cael Jerome mas o dwll, fe drefnodd gyda'r ffrind hwnnw y byddai'n cael ei drosglwyddo i fod o dan ei ofal yn ne Lloegr. Roedd yn hollol argyhoeddedig nad oedd Jerome yn euog o lofruddiaeth.

Gyrrodd Ffred i lawr yno dros nos, a Jerome o dan flanced yng nghefn y car. Fe weithiodd y peth o dan drwynau'r awdurdodau ac o fewn diwrnod neu ddau roedd Jerome yn aelod o'r fyddin honno ac wedi croesi i Ffrainc. Dyna'r cyfan a wyddai George amdano.

Gwagiodd George ei wydraid o win cyn crynhoi.

"So that's what happened… We got him away from the village… We said we'd meet for a beer one day, when it was all over, but we never did."

Ar ôl siarad am ychydig mwy daeth y bil a chododd George y darn papur yn syth.

"It's time to go, Thomas. I'll get this one, I'll stand J's son a meal… as he would mine."

Dyna oedd geiriau olaf George. Diolchodd Tomos iddo a ffarwelio ag ef gyda'r addcwid y byddai'n ei gyfarfod eto ryw ddydd.

1944

10

Mark Fuller

ROEDD Y CAPTEN Mark Fuller a'r Lefftenant Grace yn eistedd wrth ddesg ac wedi bod yn dadlau ers rhai munudau.

"We can't allow a black soldier to be a member of the 29th Division," meddai Grace a chodi er mwyn pwysleisio'r pwynt.

Arhosodd Fuller yn ei gadair ond gwyddai fod gan Grace bwynt da iawn.

"Lieutenant, he's been sent to us because, to put it bluntly, he's the best shot in the US army. He's one in a million and I want him next to me when I'm in France. He can save lives and take out some nasty Germans at the same time. A friend of mine sent him to us. I say we take him."

"With all due respect, sir, he's black and we don't take black soldiers in the US First. You need clearance from on high for this."

Cododd Fuller ar ei draed a sefyll o flaen y milwr arall. "With all due respect to you also, Lieutenant, I don't care."

Eglurodd Fuller fod y dynion oedd o dan ei ofal yn croesi i Ffrainc o fewn diwrnod neu ddau ar berwyl anodd tu hwnt. Doedd ganddo ddim amser i boeni am liw croen ei filwyr. Penderfynu a oeddent yn filwyr da a allai ymladd ai peidio oedd ei unig ystyriaeth.

Camodd Grace mas o'r ystafell a dychwelyd gyda Jerome y tu ôl iddo.

"Your name, soldier?" gofynnodd Grace.

"Towers. Jerome… sir."

"Towers, there's no paperwork for you yet but we know you've been transferred from the Western Base last night. I have decided to take you into my team. Go get yourself a gun."

*

Cerddodd Jerome draw at y storfa arfau ac ymuno â rhes hir iawn o filwyr oedd yn aros yn ufudd am arfau a bwledi. Erbyn iddo gyrraedd y swyddog y tu ôl i'r ddesg roedd hwnnw'n edrych fel dyn wedi syrffedu ac yn falch iawn o weld taw Jerome oedd yr olaf.

Astudiodd y gwaith papur yn ofalus. "Hold on, this is non-standard – and very different," meddai wrth ddiflannu i siarad â swyddog mwy awdurdodol yr olwg mewn swyddfa gerllaw.

Edrychodd y ddau swyddog yn amheus i gyfeiriad Jerome.

Aeth y swyddog i gefn y storfa a dychwelyd ymhen ychydig funudau. Gosododd ddryll mawr dipyn yn fwy na'r gynnau arferol o flaen Jerome a dweud: "Private Jerome Towers, you are taking receipt of one Lee-Enfield no. 4 mark 1 with a 3.5 scope…"

Ar ôl i'r dyn roi disgrifiad o'r dryll, gwaeddodd rhyw lais arall o gefn y storfa, "God bless America."

Edrychodd y dyn ar Tomos cyn rhoi ffurflen o'i flaen. "Private, that's a hell of a gun… Sign here."

1 1

Pierre Marceau, ychydig cyn D-Day

EDRYCHODD MAS DRWY ffenest y gegin ar fferm ger traeth St Honorine des Pertes ar arfordir Normandi. Roedd hi'n ben-blwydd ar Pierre Marceau heddiw yn bump a deugain oed, ond doedd fawr o awydd dathlu arno.

O'r ffenest gallai weld yr arfordir am filltiroedd y ddwy ffordd. Cofiai am y troeon lu y bu ef a'i frodyr ar y traethau yn dringo a chwarae ar y clogwyni isel a chymryd prydferthwch naturiol yr olygfa yn ddigwestiwn, gan boeni am ddim byd heblaw cyrraedd gartref cyn iddi nosi.

Ond roedd pethau wedi newid ers hynny. Dim ond milwyr yr Almaen gâi fynd yn agos at y traethau erbyn hyn, ac yn lle tywod gwyn ei lencyndod gorweddai rhwystrau mawr rhydlyd a weiren bigog fel gwe pry cop ar hyd y cyfan. Ac yn y clogwyni, amddiffynfeydd mawr concrid yn edrych mas ar y môr am unrhyw arwydd o'r gelyn.

Daethai'n gyfarwydd iawn â phresenoldeb y fyddin Almaenig ar yr arfordir, a hwythau wedi bod yma ers misoedd. A dweud y gwir, roedd wedi closio atynt, mynd ag wyau a bara o'r fferm iddynt a gwneud ambell ffrind yn eu plith. Ychydig a wyddai'r milwyr fod y ffermwr tawel a hanner cloff yn deall Almaeneg, ei fod yn agos at y Résistance Française ac yn cario pob gwybodaeth a glywai yn ôl iddynt. Roedd gan Pierre y ddawn o ymddangos yn syml a diniwed ond yn dawel bach roedd yn glustiau i gyd.

Dysgodd nad Almaenwyr go iawn oedd y milwyr oedd yn amddiffyn yr arfordir yma ond casgliad o filwyr rhyngwladol oedd wedi gwisgo lifrai'r Wehrmacht am resymau amrywiol. Roedd catrawd 716 yr Almaen yn gymysgedd o Almaenwyr hŷn a milwyr Pwylaidd a Rwsiaidd. Byddin gymysg, ac ym marn Pierre, byddin heb fawr o stumog i frwydro chwaith. Treulient eu hamser yn chwarae cardiau ac yn hiraethu am gartref a doedd fawr o ddiddordeb ganddyn nhw yn y rhyfel.

Mewn sgyrsiau dros sigarét roedd Pierre wedi dysgu bod y milwyr o Rwsia wedi ymuno â byddin yr Almaen er mwyn ymladd yn erbyn comiwnyddiaeth, tra bod y Pwyliaid wedi ymuno er mwyn osgoi tlodi. Felly nid cynnyrch peiriant digyfaddawd yr Almaen oedd y rhain ond unigolion yn ymladd eu brwydrau personol eu hunain. Roedd Pierre wedi trosglwyddo'r wybodaeth yn ôl i'r Résistance, bod y rhain yn wan, a phetai'r Cynghreiriaid yn glanio yma, ychydig iawn o ymladd fyddai ynddynt.

Ond heddiw, roedd Pierre wedi sylwi bod rhywbeth yn wahanol. Fel arfer byddai'r milwyr yn cerdded llwybrau'r arfordir yn hamddenol braf ond y bore yma roedd y milwyr fel morgrug yn symud gyda mwy o bwrpas nag arfer.

Daeth cnoc ar ddrws y tŷ ac fe aeth Pierre i'w ateb gan ddisgwyl gweld un o'r teulu. Ond er syndod iddo, milwr Almaenig oedd yno, yn gwenu ac yn dal bocsaid o sigaréts yn ei law. Ei enw oedd Wladyslaw, ac er ei fod yn ymladd ar ochr yr Almaen deuai o Warsaw yng Ngwlad Pwyl – dyn a fedrai rywfaint o Ffrangeg.

"Pierre! Sut y'ch chi?"

Roedd Pierre yn wyliadwrus. Doedd e erioed wedi cael ymweliad yn y tŷ gan filwr o'r blaen.

"Iawn, diolch," atebodd, yn ceisio ymddangos mor naturiol â phosib. "Sut galla i helpu?"

"Pen-blwydd hapus," meddai'r milwr a rhoi'r sigaréts yn ei law.

"O, diolch yn fawr. Do'n i ddim yn disgwyl anrheg – dwi ddim yn cofio sôn am fy mhen-blwydd."

Roedd y rhyddhad ar ei wyneb o sylweddoli nad oedd yr ymweliad yn un swyddogol yn amlwg.

"Wel, dwi yma i ofyn ffafr hefyd. Ga i ddod i mewn?"

"Croeso," atebodd Pierre gan agor y drws i'r milwr ifanc.

"Diolch. 'Na i ddim eich cadw yn hir. Dwi'n holi rhag ofn bod 'da chi fwyd yn sbâr. Wyau neu fara falle? Fe dala i, wrth gwrs – dwi ddim yn disgwyl pethau am ddim."

"O, iawn, 'na i weld beth sydd 'da fi."

Aeth Pierre i'r ystafell fach y drws nesaf i'r gegin lle cadwai'r bwyd. "Faint o wyau chi angen?" gofynnodd.

"Cymaint â phosib. Mae bwyd yn brin achos bod y milwyr newydd wedi cyrraedd neithiwr a chymryd ein bwyd arferol ni i gyd."

"O, odyn nhw'n aros yn hir?" gofynnodd Pierre wrth osod wyau mewn bocs a cheisio siarad yn ysgafn am y peth.

"Aros? Maen nhw'n cymryd drosodd. Wel – mae'n teimlo fel hynny. Yn ôl y sôn, nhw yw Catrawd 352. *Elite troops*," ychwanegodd yn sbeitlyd.

"Oes 'na lawer ohonyn nhw?" gofynnodd Pierre, gan geisio cydymdeimlo.

Eisteddodd Wladyslaw mewn cadair i aros am y bwydydd. "Dwi ddim yn siŵr faint i gyd, miloedd ar hyd yr arfordir siŵr o fod. Dyma'r milwyr sydd wedi goroesi'r ymladd yn Rwsia. Maen nhw'n edrych yn ddynion caled. Fydde 'da fi fawr o awydd eu croesi nhw, hyd yn oed o ga'l yfflon o godiad cyflog. Dim diolch. Na, mae'r rhain yn wahanol i ni, maen nhw'n credu yn y Fatherland ac yn fodlon marw drosti."

Daeth Pierre â sawl bocsaid o wyau a dwy dorth a'u rhoi iddo.

"Diolch, Pierre. Fe dalaf i 'nôl i chi y tro nesaf."

Ar ôl i'r milwr fynd, cydiodd Pierre yn ei got. Roedd y

Résistance wedi gofyn am bob darn o wybodaeth am symudiadau milwyr, yn enwedig ar yr arfordir, felly roedd angen adrodd yn ôl yn dawel bach i Isabelle Claude yn y Bar Samedi yn St Lô, a hynny ar fyrder.

Roedd Pierre wedi bwriadu dathlu ei ben-blwydd yn dawel bach gyda photelaid dda o win coch ond cyn dathlu roedd yn rhaid rhannu'r newyddion am y milwyr newydd.

Cyn gadael y tŷ, edrychodd yn gyflym ar y lluniau teuluol ar y wal. Ei wraig a'i blant ar y traeth gerllaw. Cofiai am y prynhawn braf yn 1936 pan dynnwyd y llun. Oedd, roedd yn gweld eisiau'r teulu, yn enwedig ar ei ben-blwydd, ond oherwydd peryglon y rhyfel roedd hi'n well eu bod nhw'n byw ar fferm ffrind yn Limoges na bod yn ei chanol hi yma yn Normandi.

Neidiodd Pierre i mewn i'w gar bach a gyrru tuag at dref St Lô.

*

Roedd hi'n noson brysur yn y Bar Samedi ac awyrgylch braf ac ysgafn y lle wedi denu cymysgedd o bobl, ond yr Almaenwyr oedd amlycaf ers tro. Roedden nhw wedi dod yno i fwynhau'r awyrgylch a'r bwyd a diod syml. Roedd yn lle anffurfiol gyda chadeiriau mawr esmwyth a hen fyrddau marmor â chreithiau melyn sigaréts drostynt i gyd.

Mewn un gornel roedd darlun lliwgar o bysgotwr wedi ei baentio ar y mur gan artist tlawd fel tâl am bryd o fwyd rywdro. Roedd y Bar Samedi wedi bod yn nefoedd i bobl greadigol ac yn fan cyfarfod i artistiaid Normandi rhwng y ddau ryfel byd. Ond roedd yr artistiaid wedi hen fynd erbyn hyn, ac Almaeneg yn hytrach na Ffrangeg a hwyliai mas o'r ffenestri mewn cymylau o fwg sigaréts.

Y peth arall a ddenai'r milwyr i'r lle oedd y perchennog, Isabelle Claude – neu Marlene Dietrich i'r milwyr Almaenig – oedd yn gweini cwrw a gwin gyda gwên. Roedd hi'n boblogaidd gyda'r ymwelwyr.

Ar y pryd, roedd tri math o berson yn Ffrainc: y rhai fyddai'n brwydro'n ôl, y mwyafrif llethol fyddai'n ceisio goroesi'n dawel ac, yn olaf, y rhai a welai'r holl beth fel cyfle i fanteisio, fel ffordd o elwa ac i wneud busnes.

I Ffrancwr lleol fyddai'n digwydd pasio'r bar, byddai'n hawdd dod i'r casgliad fod Isabelle yn perthyn i'r trydydd categori – yn cymysgu'n hapus gyda'r milwyr Almaenig er mwyn ennill ffafr a gwneud arian mawr. Ychydig a wyddai, y tu ôl i wyneb cyhoeddus Isabelle Claude, taw hi oedd arweinydd y Résistance Française yn y dref, a'i chasineb tuag at y gelyn yn gryfach nag eiddo neb arall.

Ei blaenoriaeth oedd goroesi mewn byd gwallgof. Goroesi er mwyn llusgo Ffrainc o afael yr Almaen a goroesi er mwyn rhoi dyfodol gwell i'w merch fach, Muriel. Ond heno roedd Isabelle yn poeni oherwydd bod wyneb newydd wedi ymddangos yn y Bar Samedi. Roedd un o swyddogion y Gestapo wedi dod i mewn, archebu cwrw ac yna eistedd wrth ford ger y ffenest yn dawel ar ei ben ei hunan. Dyn tal, pryd golau, tua saith ar hugain, tenau ond cyhyrog ac yn gryf fel ffermwr. Dyn o Alsace, meddyliodd Isabelle.

Ei enw oedd Joachim Keitel, un o swyddogion newydd y Gestapo, ac roedd yn awyddus i wneud argraff dda ar ei gyflogwyr. Roedd Keitel wedi penderfynu galw heibio am iddo glywed si fod ambell gymeriad amheus wedi cael ei weld o gwmpas y Bar Samedi.

Fel arfer, byddai Isabelle yn gallu closio at ei chwsmeriaid Almaenig yn syth, ond roedd y dyn yma'n oer a phell. Ychydig a wyddai Joachim Keitel ei fod wedi taro ar bencadlys y Résistance yn y dref, a bod holl offer y mudiad yn y seler o dan ei draed.

Symud arfau a phobl allweddol yn ddiogel rhwng Prydain a Ffrainc oedd prif swyddogaeth y Résistance yn St Lô, ond roedd gwybodaeth filwrol yn bwysicach fyth. Gwybodaeth fel y newydd a gariai Pierre Marceau wrth iddo barcio y tu fas i'r bar a hercian i mewn yn gyflym, gan edrych fel pe bai'n cario pwysau'r byd ar ei ysgwyddau.

I bawb arall yn y bar, roedd Pierre yn edrych fel Ffrancwr yn galw heibio am wydraid ar ei ffordd gartref, ond roedd Keitel wedi dod i'r casgliad fod tipyn mwy ar feddwl y dyn yma na diod. Eisteddodd Pierre mewn cornel dawel ac aeth Isabelle draw ato a rhoi cusan iddo ar y ddwy foch, gan lwyddo i edrych yn naturiol a hamddenol wrth wneud.

"Noswaith dda," meddai Isabelle wrtho gyda gwên.

"Noswaith dda," atebodd yntau'n gyflym cyn ychwanegu geiriau gofalus a phwyllog. "Mae hi'n wyntog iawn ar yr arfordir. Yn addo storm."

Yn ôl arfer y Résistance, roedd cryfder y gwynt yn cyfeirio at bwysigrwydd y newyddion, felly roedd Pierre am iddi wybod fod rhywbeth o bwys mawr ganddo i'w rannu.

Fel arfer byddai Isabelle wedi ei wahodd am sgwrs i ystafell dawel yn y cefn, ond ddim heno. Ddim gyda'r dyn dierth yn gwylio pob symudiad.

Rhoddodd Isabelle gwrw i lawr o flaen Pierre. "Fydd dim badau ar y môr felly," meddai Isabelle gan ddefnyddio'r geiriau i ddynodi nad oedd hi'n ddiogel siarad.

Ar ôl i Isabelle symud oddi wrtho i weini ar y milwyr, cododd Pierre i fynd. O ffaelu â chyflawni ei dasg heno, trodd ei feddwl at gychwyn y siwrne gartref a'r botelaid o win coch oedd yn aros amdano. Roedd hi'n ben-blwydd arno, wedi'r cyfan.

Camgymeriad mwyaf Pierre oedd gadael ei ddiod heb ei hyfed. Gwyddai Keitel am arferion yfed y Ffrancwyr a doedd gadael diod heb ei chyffwrdd ddim yn un ohonynt.

Sylwodd Isabelle fod sedd Keitel yn wag a'i fod wedi gadael sigarét gyfan yn llosgi, arwydd ei fod yntau hefyd wedi gadael yn annisgwyl. Edrychodd mas drwy'r ffenest a gweld beic modur

Keitel yn dilyn car Pierre i lawr y stryd a mas o'r dref i'r ardal wledig y tu hwnt.

*

Rhegodd Pierre o dan ei anadl wrth weld y beic modur yn ei basio ac yna'n arafu o'i flaen a rhoi gorchymyn iddo stopio. Roedd gan Pierre eiliad i benderfynu ai arafu ynteu yrru dros y dyn oedd y peth gorau i'w wneud. Ufuddhau oedd y peth callaf, meddyliodd, ac ymhen ychydig eiliadau roedd wedi tynnu'r car i'r ochr.

Eisteddodd Pierre yn y car, yn difaru peidio dod â'i wn hela o'r tŷ. Camodd yr Almaenwr oddi ar ei feic modur a gorchymyn i Pierre gamu mas o'r car.

"I ble y'ch chi'n mynd?" gofynnodd yr Almaenwr mewn Ffrangeg da wrth dynnu ei fenig.

"Gatre," atebodd Pierre wrth gau drws y car a sefyll o'i flaen.

"Papurau," gorchmynnodd yr Almaenwr gan glicio'i fysedd.

Aeth Pierre yn ufudd i'w boced ac estyn ei bapurau swyddogol.

Gwelodd yr Almaenwr ei ddyddiad geni. "Pen-blwydd hapus," meddai, heb ddangos unrhyw emosiwn.

"Diolch," atebodd Pierre yn sych.

"Yn ôl hwn, ry'ch chi'n byw ar yr arfordir. Oes 'da chi olygfa o'r môr?" gofynnodd Keitel wrth roi'r papurau'n ôl iddo.

"Oes," atebodd Pierre gyda phwt o wên.

"Braf iawn… Pam aethoch chi i Bar Samedi heno?" Caledodd wyneb yr Almaenwr wrth iddo ofyn y cwestiwn.

"Dim ond digwydd galw. Diod ar y ffordd gartre."

"Pam wnaethoch chi adael mor sydyn?"

"Stumog wael," meddai Pierre, yn crafu am esgus.

"Dwi am ofyn eto. Beth oeddech chi yn ei wneud yn y bar yna? Cwrdd â rhywun, falle?" Caledodd llais Keitel wrth iddo dynnu dryll o'i boced. "Falle gwneith hwn eich helpu i gofio," meddai, gan lwytho'r dryll a'i bwyntio at Pierre.

"Na, dim ond cael diod ar ben 'yn hunan oedd y bwriad."

"Dwi ddim yn eich credu chi. Dyn yn dod yr holl ffordd o'r arfordir, eistedd i lawr am ddiod ac wedyn gadael y ddiod heb ei hyfed. Na, dwi ddim yn eich credu. Pwy oeddech chi'n aros amdano? Dyma'r siawns olaf."

"Neb," atebodd Pierre eto.

Cododd Keitel y dryll ac anelu at ben y dyn. "Cyfle olaf," meddai gyda mymryn o wên.

Roedd rhywun wedi dweud wrth Keitel rywdro fod person sy'n wynebu marwolaeth yn gweld ei holl fywyd yn fflachio heibio yn ystod yr eiliadau olaf. Ond roedd Keitel am ganiatáu llawer mwy nag eiliad neu ddwy. Rhag ofn bod gan y dyn blant, roedd am ganiatáu eiliadau ychwanegol ar gyfer pob un ohonynt. Digon o amser i gofio popeth.

"Neb," meddai Pierre yn dawel.

Taniodd Keitel a gwneud twll bach crwn ym mhenglog y Ffrancwr ac yna sefyll o'i flaen, yn syllu i fyw ei lygaid wrth iddo gwympo ar ei ben-gliniau. Cododd Pierre ei fraich a cheisio gafael yn yr Almaenwr wrth gwympo ond camodd Keitel o'r ffordd er mwyn gadael i'r dyn ddisgyn i'r llawr heb ei gyffwrdd. Doedd e ddim yn teimlo'n gysurus yn ymyl corff marw.

Gyda'i waith am y noson wedi ei gwblhau'n llwyddiannus, neidiodd Keitel ar ei feic modur a gyrru oddi yno'n hamddenol.

Er gwaethaf gweithredoedd ac ymdrechion Joachim Keitel a'i debyg i ennill y rhyfel i'r Almaen, roedd grymoedd mwy o lawer yn corddi yr ochr arall i'r Sianel. Ac ar fapiau ymosod y Cynghreiriaid roedd traeth St Honorine des Pertes eisoes wedi cael enw newydd… Omaha.

4 Mehefin

ROEDD DWIGHT EISENHOWER, Pennaeth y Cynghreiriaid, yn
eistedd wrth ben y ford yn edrych yn ddifrifol iawn.

Wrth ddechrau'r cyfarfod, rhestrodd yr ysgrifennydd enwau'r
sawl oedd yn bresennol: "Present are General Omar Bradley,
Admiral Sir Bertram Ramsay, Air Chief Marshall Sir Trafford
Leigh-Mallory, General Walter Bedell Smith, Air Chief Marshall
Sir Arthur Tedder, General Dwight Eisenhower and General
Bernard Montgomery."

"Thank you," meddai Eisenhower yn dawel, cyn dechrau.
"We are gathered here on the fourth of June to agree the timing
of the invasion of the continent by the armies, navies and air
forces that we have under our command.

"For an invasion by sea to succeed, the weather conditions
will need to be right. The air force will need good visibility to
drop the paratroopers. The naval forces will need to cross the
Channel at night so that they can start their coastal bombardment
at dawn. And finally, the infantry will need to arrive at low tide
so that they can progress and secure a beachhead quickly and
before high tide."

Edrychodd Eisenhower o gwmpas yr ystafell ar y dynion, cyn
cyfeirio at un yn benodol. "Group Captain Stagg, you can tell us
about the weather."

Cododd y Capten Stagg ar ei draed a sefyll o flaen map
enfawr. Rhoddodd ei law yng nghanol Môr Iwerydd. "There
was a ridge of high pressure over the Atlantic, sir, and we all

expected... hoped... it would reach Britain, but it's going south towards Spain."

Cymerodd Stagg lymaid o ddŵr cyn parhau. "Tomorrow looks like being a stormy day. Bad conditions, both for flying and for sailing. So the 5th of June, our original date, is out of the question. However, I can tell you that there may be a break in the bad weather after that, just a day, when the winds will drop and the rain will stop – but not ideal, still cloudy."

Roedd Montgomery yn hapus. "Typical English weather then."

Dywedodd Leigh-Mallory ei fod e'n anhapus. "I say we postpone. Flying in those conditions will mean that the paratroopers will miss their drop zones and targets, as well as the bombers missing theirs."

Rheolwr y llynges oedd Ramsay, ac meddai, "Dwight, I think we have enough information now. And I'm afraid it's down to you. You've got half an hour to make your mind up. And we'll support you, whatever you decide."

Edrychodd Eisenhower ar ei oriawr. Roedd hi'n chwarter i ddeg y nos.

"It's 9.45 p.m., gentlemen. I am giving the order. We invade on the 6th of June. If any blame or fault is attached to the attempt, it is mine and mine alone. Good luck to all."

5 Mehefin,
y Diwrnod cyn D-Day

YNG NGHORNEL BELLAF y seler, rhwng hen gwpwrdd gwin a mynydd o goed tân, eisteddai Isabelle Claude yn gwrando ar y radio. Roedd hi wedi gadael Magee, ffrind ac aelod arall o'r Résistance, i weini yn y bar uwch ei phen.

Gwrandawai ar y BBC World Service yn y gobaith o glywed rhywbeth arwyddocaol am ymosodiad y Cynghreiriaid, ond heb yn wybod iddi roedd rhywun arall wedi dod i mewn i'r seler ac yn dilyn y llwybr yn bwyllog i lawr y stepiau carreg. Ar ôl cyrraedd y gwaelod, rhedodd y traed yn gyflym ar hyd llechi oer y llawr, yn syth i gyfeiriad Isabelle. Erbyn iddi sylweddoli bod ganddi gwmni roedd hi'n rhy hwyr i estyn un o'r gynnau oedd gerllaw.

"Muriel," dywedodd Isabelle gyda rhyddhad amlwg yn ei llais.

"Methu cysgu, Mam."

Safodd ei merch o'i blaen yn droednoeth, a golwg oer arni.

"Muriel, tyrd yma. Beth dwi 'di ddweud wrthot ti am ddod i mewn i'r seler?" gofynnodd yn dyner wrth ei chodi a'i chario'n ôl i fyny'r grisiau.

Wedi rhoi'r ferch fach yn ei gwely, aeth Isabelle yn ôl i wrando ar y radio ac ymhen yr awr roedd hi'n siŵr ei bod hi wedi clywed y geiriau cyntaf.

"It's hot in Suez." Dyna'r geiriau roedd Isabelle wedi bod yn aros amdanynt. Ymhen ychydig, clywodd hi'r geiriau yn cael eu hailadrodd ac yna'r geiriau cudd nesaf. "The most despairing songs are the most beautiful." Gwyddai mai dyma'r gorchymyn i ddweud wrthynt chwalu'r llinellau ffôn. Yn olaf, "The dice are on the mat." Clywodd y geiriau'n glir, a dyna'r gorchymyn i ffrwydro traciau'r rheilffyrdd.

Cododd Isabelle a rhoi'r radio heibio o dan domen o lo. Rhedodd i fyny'r grisiau ac i mewn i'r ystafell y tu ôl i'r bar.

Daeth Magee ati yn edrych yn welw. "Isabelle, mae'r dyn yna yn ôl. Yr un a laddodd Pierre. Dwi wedi rhoi diod iddo fe, ond mae'n dal i edrych arna i drwy'r amser. Fe ofynnodd ble roeddet ti. 'Nes i weud dy fod ti gyda dy ferch fach."

"Iawn, mi 'nest ti'n iawn. Magee, mae'n rhaid i ti gadw llygad arno fe a'i gadw fe'n hapus. Mae'n rhaid i fi fynd i weld Jaque a dwi ddim eisiau ca'l fy nilyn. Dwi newydd glywed negeseuon ar y radio. Mae'r amser wedi dod. Yr ymosodiad mawr. Felly cadwa fe yma. Cadwa fe'n hapus."

Gwisgodd Isabelle ei chot, taflu cusan at ei ffrind ac yna sleifio mas i'r noson dywyll drwy'r drws cefn.

*

Bwyta roedd Jaque Fauvelle pan ddaeth y gnoc arbennig ar ei ddrws, pedair cnoc galed ac un ysgafn. Roedd yn adnabod y curiad ond aeth i nôl ei wn ta beth, rhag ofn bod y gelyn wedi dysgu'r cod.

Edrychodd drwy'r twll bach yn y drws a gweld Isabelle yno ar ei phen ei hunan yn edrych o'i chwmpas fel pe bai hi'n amau bod rhywun yn ei dilyn.

Agorodd gil y drws a gwthiodd Isabelle heibio iddo a chamu i ganol yr ystafell.

"Wyt ti ar ben dy hunan?" gofynnodd Isabelle.

"Odw. Pa newyddion? Magee sy'n dod fel arfer. Oes 'na rywbeth wedi digwydd iddi?"

"Mae Magee yn edrych ar ôl y bar. Mae'r dyn Gestapo yna wedi dod 'nôl 'to. Mae e'n ein hame ni i gyd, dwi'n siŵr. Ond i ateb dy gwestiwn… Oes, mae 'na newyddion, Jaque, mae'r gorchymyn wedi dod. Mae'n rhaid i ni weithredu'r cynllun. Rho wbod i'r rhwydwaith. Ewch i nôl y ffrwydron a'r gynnau. Bydd popeth yn digwydd heno."

14

D-Day,
6 Mehefin

ROEDD Y BADAU glanio'n anelu am y traethau yn y pellter ac yn llawn milwyr. Ceisiai'r badau gadw llwybr syth wrth ddyrnu drwy'r môr ac ymladd yn erbyn y gwynt a'r tonnau ar yr un pryd.

Glanhau ei wn i ladd amser roedd Jerome, ac er mwyn osgoi meddwl am yr hyn oedd o'i flaen.

Yng nghefn y bad glanio, gwaeddai'r Capten Fuller eiriau o ysbrydoliaeth i'w filwyr wrth i'r traeth agosáu, ond prin roedd modd ei glywed uwchben sŵn y gwynt a'r môr, a sŵn cynyddol y saethu a'r bomio ar y traethau.

Edrychodd Jerome ar ei gyd-filwyr yn y bad. Pob un yn ei fyd bach ei hunan, pob un yn hel meddyliau personol ac eto pawb yn yr un cwch. Yn ffodus i griw y Capten Fuller, roedd eu gyrrwr wedi llwyddo i'w gollwng y tu ôl i danc Sherman mawr oedd wedi hanner suddo o dan y tonnau ar y lan. Golygai hyn y gallai'r tanc roi cysgod i'r milwyr rhag bwledi'r Almaenwyr.

Neidiodd Jerome i mewn i'r môr a saethodd oerfel y dŵr drwy ei gorff. Symudodd yn gyflym y tu ôl i'r tanc ac ymuno â gweddill y milwyr. Roedd cyrff milwyr marw yn nofio o'i gwmpas, eu gwaed yn gymysg â'r môr. Daeth Fuller i sefyll wrth ei ochr a gweiddi ar dop ei lais.

"We're pinned down. I think it's one guy who's doing the

damage, he's at 11 o'clock. He's got us covered. Can you see him, Towers?"

"I'll take a look, sir," gwaeddodd Jerome, gan edrych yn gyflym heibio ochr y tanc a gweld dyn yn tanio oddi ar y clogwyn uwchben.

"Can you take him?" gofynnodd Fuller.

"Don't know, sir. I'll try… I'll have to be fast so that he doesn't see me."

Llwythodd Jerome ei wn a pharatoi ei hun. Cymerodd anadl ddofn a chamu mas er mwyn wynebu'r gelyn. Doedd ganddo ddim mwy na thair eiliad cyn y câi ei weld – tair eiliad i anelu a saethu.

Roedd hi'n chwalfa lwyr, a'r Almaenwr yn saethu i lawr yn ddidrugaredd, fel petai'n saethu targedau mewn ffair.

Pwysodd Jerome yn erbyn y tanc er mwyn cael sylfaen gadarn. Er gwaethaf yr holl wallgofrwydd, a'r tonnau yn chwipio o'i gwmpas, llwyddodd i osod croes y dryll ychydig i'r dde o ben y saethwr, digon i ganiatáu ar gyfer y gwynt, ac yna gwasgodd ei fys.

"That's a hit. That's a hit. He's down. Run, run, run," gwaeddodd Fuller gan orchymyn i'r hanner cant o ddynion o dan ei ofal redeg am y traeth.

1985

15

Eleri Jones

ROEDD HI'N FORE Sadwrn braf, a deuddydd wedi mynd heibio ers i Tomos ddychwelyd i'w fflat yn Llundain ar ôl ei drip i America. Bore dioglyd o orwedd mewn bàth ac ymlacio, a bore o ddiystyru'r angen i ddadbacio'r ces dillad a oedd yn dal i fod yn y cyntedd. Bore i orwedd yn ôl yng nghwmni Dire Straits yn y cefndir.

A dweud y gwir, yr unig beth pwysig a wnaethai Tomos yn ystod y deuddydd oedd ysgrifennu llythyr at yr Athro Meredith Ellis, Prifysgol Rhydychen – yr hanesydd roedd Michael Kelly wedi awgrymu y byddai'n gallu ei helpu. Roedd yr amlen yn barod i'w phostio ar y silff ben tân.

I ddrysu ei drefniadau i gyd, daeth cnoc go gadarn ar ddrws y fflat.

"Blydi hel, postman," dywedodd, gan godi o'r dŵr a rhoi tywel amdano cyn trotian draw at y drws a'i agor, yn y gobaith o ddal y postman cyn iddo ddiflannu.

Nid y postman oedd yno ond menyw dal, oddeutu deg ar hugain oed, gyda gwallt byr, tywyll a golwg braidd yn boenus arni.

"Hello. Really sorry. I've broken down, and was hoping to use your phone."

Roedd acen gogledd Cymru yn gryf ar ei geiriau.

Edrychodd Tomos dros ei hysgwydd a gweld Austin Allegro wedi'i barcio'n gam y tu ôl iddi yn y stryd.

"Oh, yes, you can, of course. Come in, sorry, I was in the bath."

"No, I'm the one who's sorry, I didn't mean to disturb you."

"Where are you from?" gofynnodd Tomos.

"Conwy, in north Wales," atebodd hithau wrth gamu i mewn i'r fflat. "Has anyone ever told you that you look like that actor? I saw him in *Colour Purple* in the cinema the other day, what's his name?"

"Yes. You mean Danny Glover. I get it about twice a day. Chi'n siarad Cymraeg?" gofynnodd Tomos.

"Yndw. A chi?" gofynnodd hithau'n frwdfrydig.

"Odw, dwi o Sir Gaerfyrddin. Dwi am fynd i wisgo. Mae'r ffôn yn y gornel. Wyt ti isie paned?" Nodiodd Tomos i gyfeiriad y tegell cyn gadael am yr ystafell wely.

"O. Diolch o galon. Ia, iawn, mi ro i'r tegell ymlaen. Eleri dwi, gyda llaw. Be ydy dy enw di?"

"Tomos. Earl Grey i fi, dropyn o la'th, dim siwgr, popeth ar y silff," gwaeddodd wrth gau'r drws a mynd ati i wisgo.

Cerddodd Eleri o gwmpas y fflat wrth aros i'r tegell ferwi. Cymerodd ambell lyfr oddi ar y silff a'u hastudio cyn eu rhoi yn ôl. Aeth draw at y ces dillad yn y cyntedd a darllen y tocyn teithio gyda 'Los Angeles' arno.

Erbyn i Tomos ddod yn ôl, roedd Eleri yn eistedd wrth ford y gegin a'r te o'i blaen.

"Sori, Tomos, dwi wedi newid y record i Van Harrison – mi welish i fod gen ti albwm *Days and Weeks*, un o'n hoff albyms i. Dwi ddim yn licio Dire Straits, a'r Mark Knopler 'na efo'i *head band* gwirion."

Gwenodd Tomos. "Digon teg. Dewis da. Dwi wedi dod â'r record yna 'nôl o dŷ Mam. Roedd hi wrth ei bodd 'da Van Harrison."

"A fi hefyd. Lle mae dy fam? Ydy hi 'nôl yng Nghaerfyrddin?"

"Ody, mewn ffordd. Yn anffodus, buodd hi farw yn

ddiweddar. Dwi wedi bod yn gwacáu'r tŷ a dyna pam ma 'da fi rai o'i recordie hi 'ma – dwi wedi dod â nhw yn ôl."

"O… Sorri i glywed am dy golled di, Tomos."

Aeth Tomos yn dawel am ychydig ar ôl ei geiriau o gydymdeimlad.

"Dwi wedi ffonio'r AA, gyda llaw… maen nhw ar eu ffordd yma. Dyma'r tro cyntaf erioed i fi dorri lawr. Dwi wedi rhoi cyfeiriad y fflat yma iddyn nhw, os ydy hynny'n ok?"

"Ody, pob dim yn iawn. Dim problem. Ble roeddet ti'n mynd?"

"I weld ffrind yn Turnham Green."

"Beth wyt ti'n neud yn Llundain? Ti'n byw yma neu ar dy wylie?" gofynnodd Tomos.

"Ar hyn o bryd dwi jyst yn tempio. Cymryd be alla i o ran gwaith," atebodd Eleri, cyn pwyntio at y ces dillad yn y cyntedd. "Ti wedi bod i ffwrdd?"

"Do, America. Trip i weld ffrind."

"Ble yn America?"

"Los Angeles. Wel, a bod yn fwy cywir, Santa Monica."

"Braf iawn. Ffrind agos?"

"Fyddwn i ddim yn gweud agos, ond ffrind cymharol newydd."

"O, mae gen ti ffrindia pwysig iawn hefyd," dywedodd Eleri, gan gyfeirio at lythyr yr Athro Meredith Ellis ar y silff ben tân.

"Ti newydd atgoffa fi, mae angen i fi ei bostio fe. Dim llythyr at ffrind ond llythyr at ŵr *academic* yn Oxford yn gofyn am gwrdd ag e… felly croesi bysedd y bydd trip i Oxford 'da fi cyn bo hir, gobeithio."

"Be sy yn Oxford felly?" gofynnodd Eleri.

"Mae hi'n stori hir. Milwr oedd Dad a 'na i gyd dwi'n wbod amdano fe. Dwi'n gobeithio bod gan y dyn yma atebion i fi… mwy o wybodaeth, o leia."

Aeth Tomos i nôl y llun o'i rieni a'i ddangos i Eleri.

"O, pâr golygus. 'Swn i wrth 'y modd yn mynd i Oxford… mi fasan ni'n gallu mynd yno gyda'n gilydd?"

"Iawn, os atebith y dyn fi – byddet ti'n gwmni," atebodd Tomos wrth i huodledd y ferch ei ddal. Teimlai nad oedd fawr o ddewis ganddo ond cytuno.

"Diolch. Hei, dwi'n licio dy fflat di. Ers pryd ti wedi byw yma?"

"Blwyddyn bellach. Byth wedi gorffen y lle'n iawn."

"Paid â phoeni. Neith côt o baent sortio pob dim i ti," meddai Eleri wrth edrych o gwmpas y waliau.

"Dwi newydd dalu tomen o arian i gwmni ac maen nhw wedi pacntio'r holl le i fi," meddai Tomos â hanner gwên ar ei wyneb.

"Wps. Ydw i wedi rhoi 'y nhroed ynddi eto?" gofynnodd Eleri wrth frathu ei gwefus a chrychu ei thrwyn.

"Nac wyt, tynnu dy go's di o'n i. Mae angen ailbaentio'r lle. Ti sy'n iawn," dywedodd Tomos gan chwerthin.

"Ti'n fy nabod yn dda yn barod! Dwi'n dipyn o drwyn."

Daeth y dyn AA i'r drws, ac ar ôl i Tomos gytuno i fynd â hi gydag ef i Rydychen pe bai'n mynd yno, aeth Eleri am ei char. Roedd yr ymweliad drosodd mor sydyn ag ymddangosiad llwynog R Williams Parry, meddyliodd Tomos ar ôl cofio geiriau'r gerdd roedd hen athro ysgol wedi gwneud iddo fe ei dysgu ar ei gof rywbryd.

16

Meredith Ellis

EISTEDDAI ELERI YN sedd flaen y car. Tynnodd y drych tuag ati er mwyn archwilio'i cholur.

"Dwi'n licio Ford Capri chdi, Tomos. Pa mor bell ydy Oxford? Ydy'r *professor* yn swnio'n hyderus fod ganddo fo wybodaeth?"

"Tua awr o siwrne, dibynnu ar y traffig. Mae e wedi dweud fod e wedi dod o hyd i ryw wybodaeth am Dad ond ro'dd e'n gwrthod dweud ar y ffôn beth oedd e. Felly croesi bysedd."

Roedd wythnos ers i'r ddau gyfarfod yng nghartref Tomos a daeth y gwahoddiad gan yr Athro Meredith Ellis yn weddol gyflym ar ôl iddo dderbyn llythyr Tomos.

"Ga i ddod efo chdi i mewn i'r coleg? Dwi wedi clywed cymaint am y lle, a 'sgen i ddim llawer o awydd siopa yn Oxford a bod yn onest. Dwi ychydig yn brin o bres ar y funud, beth bynnag."

"Iawn. Pam lai?"

"Grêt. A ti'n gwbod pentra dy fam?"

"Llanyborth… Ie?" atebodd Tomos, gyda chwestiwn yn ei lais.

"Tro nesa ti'n mynd… ga i ddod efo chdi, os ca i fod mor bowld â gofyn?"

"Ym… iawn. Pam lai?" meddai Tomos am yr eildro, yn synnu wrth glywed ei chais.

"Pam lai yn wir," dywedodd Eleri gan wenu.

*

Wrth i'r Capri gyrraedd campws yr hen goleg hynafol roedd hi'n amlwg i'r ddau, wrth iddynt weld yr holl fyfyrwyr yn gwisgo clogynnau a'u rhieni balch o'u cwmpas, ei bod hi'n ddiwrnod graddio.

Aethant ar eu hunion i chwilio am ystafell Meredith Ellis. Wedi gofyn am gyfarwyddiadau a mynd ar goll unwaith neu ddwy, daeth y ddau at ddrws derw enfawr ac enw'r Athro arno. Cerddodd Tomos ac Eleri i mewn ar ôl cael gwahoddiad ffurfiol ac awdurdodol yr Athro. Y peth cyntaf i daro rhywun oedd blerwch llwyr yr ystafell. Roedd hi'n ystafell tipyn o faint a nenfwd uchel iddi ond roedd y môr o lyfrau a phapurau yn golygu taw dim ond pen moel y dyn oedd i'w weld uwchben y domen.

"Proffesor?" gofynnodd Tomos wrth bigo'i ffordd rhwng dwy gadair yn llawn cylchgronau hanes.

Roedd Meredith Ellis yn darllen. "Yes?" meddai yn swta heb godi ei ben i edrych.

"Helô, Proffesor." Daeth llais clir Eleri drwy'r awyr fel cloch.

Cododd Meredith ei ben, tynnu ei sbectol a chymryd sawl eiliad i benderfynu nad dau o'i fyfyrwyr a safai o'i flaen.

"Fi yw Tomos Lloyd. Y'ch chi'n cofio? Y llythyr? Jerome Towers?"

"A. Wrth gwrs. Dewch i mewn. Dewch i mewn."

Cododd Meredith a cherdded tuag atynt yn nhraed ei sanau. Dyn byr ydoedd, a gwisgai drowsus ffurfiol ond blêr gyda chardigan gysurus dros grys oedd heb ei smwddio.

Doedd dim lle iddynt eistedd felly aeth Meredith ati i symud papur a llyfrau ac ymhen rhai munudau daeth cadeiriau lledr i'r golwg. Roedd hi'n amlwg na fyddai Meredith yn arfer rhoi llawer o groeso i ymwelwyr. Eisteddodd y ddau yn y cadeiriau, a'r arogl lledr a hen lyfrau yn codi yn gymysg i'w trwynau.

Roedd hi'n amlwg wrth edrych arno, ac ar yr holl bethau milwrol o'i gwmpas, nad oedd Meredith wedi tanio'r un dryll ei hun, ac eto roedd wedi llwyddo i ddod yn frenin ar erchyllterau ymladd a hynny o'r tu ôl i ddiogelwch cysurus ei ddesg.

Gwenodd Tomos wrth gofio disgrifiad Michael Kelly ohono – "anobeithiol mewn ffeit ei hunan". Roedd Tomos hefyd wedi dod i'r casgliad fod y dyn yma, fel y rhan fwyaf o haneswyr proffesiynol ei ddydd, yn fwy cysurus yn rhoi gwybodaeth awdurdodol am y gorffennol nag yn byw yn y presennol.

Eisteddodd Meredith yn ôl y tu ôl i'w ddesg fawr a dechrau siarad yn hyderus. "Diolch yn fawr am eich llythyr, Mr Lloyd. Diddorol iawn. Rwyf wedi ysgrifennu llawer am yr Ail Ryfel Byd." Pwyntiodd Meredith at lyfr mawr ar ei ddesg, *The Parachute Regiment during the Second World War*.

"Mae gen i ffrind yn America, Athro Hanes yn Arizona. Fe aeth e i chwilio am wybodaeth am eich tad fel ffafr bersonol i fi. Mae e wedi dod o hyd i wybodaeth ddiddorol iawn – ond gwybodaeth drist i chi hefyd, Mr Lloyd."

"Trist? O ddifrif?" gofynnodd Tomos.

"Roedd dod o hyd i wybodaeth yn anodd – roedd ffeil Jerome Towers yn ffeil gyfrinachol. Ond mae fy ffrind wedi darganfod rhywbeth. Reit, ble mae llythyr fy ffrind wedi mynd…? Mae e yma yn rhywle." Aeth ati i chwilio o gwmpas ei ddesg. "Dyna od. Roedd e yma bore 'ma."

Camodd Eleri o'i chadair ac estyn yn syth am amlen frown gyda'r geiriau 'Air Mail' arni oedd ar y llawr wrth goes y ddesg. "Dyma ni. Dwi'n credu eich bod chi angen ysgrifenyddes."

"Goodness me, no. I tried using one of them once – caused absolute havoc," meddai'r Athro, gan droi at y Saesneg er mwyn creu mwy o effaith.

Agorodd yr amlen, estyn ei sbectol a phori drwy'r cynnwys yn sydyn i'w atgoffa ei hun. "Oes, mae rhywbeth diddorol iawn am hanes milwrol eich tad. Roedd eich tad yn wreiddiol gyda'r US Second Division yng Nghymru. Mae fy ffrind wedi dod o hyd i gofnod amdano yn y ffeil yn fuan ar ôl D-Day." Edrychodd

Meredith ar Tomos dros ei sbectol cyn parhau. "Y newyddion trist yw fod y cofnod yn dweud bod eich tad wedi cael ei ladd. KIA. 'Killed in action.'"

Suddodd calon Tomos wrth glywed hyn. "Y'ch chi'n siŵr?"

"Dyna mae'r cofnod yn ei ddweud. Mae 'KIA' yn golygu categori i ddisgrifio rhywun sydd yn cael ei ladd ar faes y gad. Efallai nad ydynt wedi eu claddu mewn mynwent swyddogol ond mae'n golygu eu bod wedi syrthio a bod y coler milwrol – neu'r *dog tag* swyddogol – wedi ei dynnu oddi ar eu gyddfau a'i gadw fel cofnod. Mae'r *dog tag* wedyn yn actio fel cofnod swyddogol ac mae'r swyddog perthnasol yn ysgrifennu adroddiad yn crynhoi yr hyn ddigwyddodd i'r milwr."

Tynnodd Meredith ei sbectol ac edrych ar y ddau. "Being killed in action has been an occupational risk for service personnel for as long as there has been warfare, Mr Lloyd."

"Yes, obviously... Rydan ni'n deall hynny. Ydy'ch ffrind wedi ffendio unrhywbeth arall?" gofynnodd Eleri.

"Wel oes, mae rhywbeth arall. Rhywbeth od iawn. Daeth o hyd i adroddiad oedd yn dweud fod eich tad yn rhan o'r ymosodiadau cyntaf ar D-Day. Adroddiad sydd yn dweud ei fod wedi glanio gyda'r US First Division. Y 29th Division, i fod yn fwy penodol. Efallai eich bod wedi clywed am 'Omaha' – mae traeth Omaha yn enwog. Roedd e'n draeth gwaedlyd iawn i'r Americanwyr, achos bod milwyr yr Almaen yn llawer cryfach na'r disgwyl, ac roedd eich tad yng nghanol yr ymladd.

"Y peth od yw – doedd eich tad ddim i fod yno o gwbl. Roedd y 29th Division yn ddynion gwyn i gyd – dynion gwyn iawn a dynion balch iawn. Felly dwi ddim yn gwybod beth oedd eich tad yn ei wneud yn ymladd wrth eu hochor nhw pan oedd e i fod yn ôl yng Nghymru gyda'r US Second Division."

"Ydy'r adroddiad yma yn hollol ddibynadwy?" gofynnodd Tomos.

"Dyma mae llythyr fy ffrind yn ei ddweud, Mr Lloyd:

'Throughout July 1944 Private Jerome Towers fought through Normandy with the Division to the town of St Lô – where they faced strong resistance. Private Towers fought bravely but was killed in action on 15 July 1944.' Felly yr unig ddirgelwch yw beth oedd eich tad yn ei wneud yn ymladd gyda'r 29th Division?"

"Pwy yw'r swyddog a wnaeth yr adroddiad yna?" gofynnodd Eleri.

"Does dim sôn am enw'r swyddog yn llythyr fy ffrind. Byddai enw'r swyddog yn amherthnasol ta beth," atebodd Meredith gyda gwên awdurdodol.

"Allwch chi roi manylion eich ffrind yn Arizona i ni? Falle gallwn ni ei holi?" gofynnodd Eleri, ac o'i wyneb swta roedd hi'n amlwg fod Meredith wedi dechrau colli amynedd.

"Na alla. Mae e'n ddyn prysur iawn, ac wedi gwneud digon i'n helpu'n barod. Mae'n rhaid i fi fynd i ddarlith nawr," cyhoeddodd Meredith er mwyn dirwyn y sgwrs i ben.

Cododd Eleri ar ei thraed a cherdded at y ddesg. Astudiodd y llythyr, er ei fod ben i waered, am rai eiliadau.

Ar ôl sylwi bod Eleri yn syllu ar y llythyr, tynnodd Meredith ef oddi ar y ddesg, ei roi yn ôl yn yr amlen a'i gadw fel plentyn hunanol. "Mae'n rhaid i fi fynd. Hwyl fawr i chi a'ch ffrind, Mr Lloyd."

*

"Sorri am dy dad, Tomos," dywedodd Eleri wrth gerdded yn ôl at y car.

Ochneidiodd Tomos yn hir ac yn dawel cyn ateb. "Diolch am ddweud. Y peth trist yw ei fod e wedi ei ladd cyn i fi gael fy ngeni. Sgwn i oedd Mam yn gwbod?" dyfalodd wrth roi'r allwedd yn nrws y Capri.

Eisteddodd y ddau yn y car am eiliad i hel meddyliau.

"Cyn i ni gychwyn, oes gen ti bapur a phensel?" gofynnodd Eleri.

"O's, dyma ti."

Rhoddodd Tomos ben Parker eithaf smart a darn o bapur o boced ei siaced ledr iddi cyn cychwyn y car.

"Diolch."

Canolbwyntiodd Eleri am rai eiliadau cyn dechrau ysgrifennu rhifau i lawr ar y darn papur."

"Be ti'n neud?" gofynnodd Tomos wrth i'r Capri danio.

"Shhhh… dwi'n meddwl… trio cofio…" atebodd hithau, gan syllu yn syth o'i blaen. "Dyna ni, rhif ffôn a ffacs ei ffrind o yn America. Rhag ofn."

"Blydi hel, Eleri. Ti wedi cofio'r holl rife 'na? Beth wyt ti, sbei neu beth?"

Glyn Davies

WYTHNOS AR ÔL yr ymweliad â Rhydychen a'r newyddion siomedig am ei dad, roedd Tomos ar ei ffordd yn ôl i Lanyborth ar gais Mari, gan fod Glyn ei thad wedi mynnu ei weld.

Roedd Eleri yn dilyn y tu ôl iddo yn ei Allegro oren, wedi iddi benderfynu dod â'i char ei hun rhag ofn y byddai eisiau iddi deithio'n ôl yn annibynnol. Ychydig a wyddai Eleri, wrth iddi yrru'n hamddenol i lawr yr M4, fod dewis dod yn ei char ei hun yn gamgymeriad mawr.

Wrth i Tomos gyrraedd tŷ Glyn, gwelodd Mari'n sefyll yn y stryd y tu fas a golwg wedi sythu arni.

"Tomos, diolch am ddod, a sorri i glywed y newyddion am dy dad. Mae Nhad wedi bod yn eitha tost yn ddiweddar ac yn mynnu dy weld ti."

"Iawn, Mari, dim problem. Dwi'n edrych 'mlân at ei weld e."

"Ond mae e'n fisi gyda Mr Gwyn Jones y cyfreithiwr ar hyn o bryd. Wyt ti'n fodlon aros am ryw hanner awr? Dere miwn am gwpaned. Mae e'n edrych 'mlân at dy weld ti hefyd."

Tynnodd car Eleri i mewn y tu ôl i un Tomos.

"Gyda llaw, dwi wedi dod â ffrind o Lundain. Eleri, mae hi'n siarad Cwmrâg," meddai Tomos wrth i Eleri gamu mas o'i char a gwenu.

"Helô, Eleri," meddai Mari yn serchog gydag edrychiad oedd yn ei mesur o'i chorun i'w sawdl. "Cwpaned? Mae'n siŵr bod syched arnoch chi."

"Helô, Mari. O ia, plis – bydda paned yn grêt," dywedodd

Eleri, ond cyn iddynt gerdded i mewn daeth Michael Kelly o rywle mewn siwt a llyfr emynau yn ei law, er nad oedd hi'n ddydd Sul.

"Tomos, yr hen ffrind, shwd wyt ti? O's 'da ti funed i ddod am dro? Mae 'na rywbeth dwi am 'i ddangos i ti."

"O's, fel mac hi'n digwydd. Ma 'da ti hanner awr yn sbâr. Beth sy 'da ti mewn golwg? Geith Eleri ddod 'fyd?"

"Wrth gwrs… croeso mawr – i'r ddou ohonoch chi…"

Cerddodd y tri mas i gyfeiriad y gofgolofn ac wrth iddynt agosáu gwelodd Tomos fod torf o ryw ugain o bobl wedi casglu o'i chwmpas.

"Beth sy'n digwydd 'ma, Michael?" gofynnodd Tomos, ond y cyfan wnaeth Michael oedd rhoi'r llyfr emynau iddo fe a gwenu.

"Diolch i chi i gyd am ddod," cyhoeddodd Michael ar ôl cyrraedd y dorf fach o drigolion y pentref oedd yno'n aros yn amyneddgar amdano.

Ar ôl cael sylw pawb, dechreuodd Michael siarad. "Ry'ch chi i gyd yn gwbod hanes Tomos a'i fam – a dwi'n diolch i chi am ddod yma heddi i ddangos eich cefnogaeth iddo."

Gwnaeth Michael arwydd i Tomos gamu ymlaen ato.

"Dyma ein cyfaill Tomos Lloyd, un o fechgyn Llanyborth. Collais i fy nhad yn y rhyfel ac mae Tomos a'i fam wedi mynd trwy'r un peth yn union – colli rhywun agos, yr aberth eitha. Colli rhywun annwyl ac yna gorfod byw hebddynt a goddef y tristwch a'r caledi mae hynny'n ei achosi.

"Wythnos yn ôl, fe glywodd Tomos y newyddion trist ei fod wedi colli ei dad yn 1944, yn ystod brwydr am dref St Lô yn Ffrainc. Ac mae tad Tomos, un o fechgyn Llanyborth, yn haeddu cael ei gydnabod a'i gofio yn union fel fy nhad i. Tomos, mi ddwedaist ti dy fod am fynd i chwilio am dy dad, a heddiw, galla i dy sicrhau dy fod ti wedi dod o hyd iddo, a'i fod e'n saff yma yn Llanyborth gyda ni."

Rhoddodd Michael ei fraich o gwmpas ysgwydd Tomos cyn dal i areithio.

"Dwi am alw rhywun oedd yn nabod Jerome Towers yn dda i ddod ymlaen, sef Lilly Harvey, ffrind i Sali Lloyd a phrifathrawes Ysgol Llanyborth."

Nodiodd Michael i gyfeiriad menyw bryd golau rhyw hanner cant oed a gerddodd at y gofgolofn a thynnu'r clogyn ffelt oedd wedi ei osod ar y garreg.

O dan enw 'Private Anthony Kelly' roedd geiriau newydd wedi eu naddu i mewn i'r garreg: 'Private Jerome Towers – US Army'.

"Rwy'n cofio'r dyn caredig yma yn iawn," dywedodd Lilly. "Fy mhleser trist i yw dadorchuddio ei enw fel cofnod parhaol. Cydnabyddiaeth fod tad un arall o fechgyn Llanyborth wedi gwneud yr aberth eithaf ar allor rhyddid a chyfiawnder – yng ngwyneb y gelyn gwaethaf yn hanes ein dynoliaeth."

Ar ôl canu 'Calon Lân', gwasgarodd y casgliad bach o drigolion Llanyborth yn ôl i'w cartrefi a diolchodd Tomos i Michael am fod mor feddylgar. Ond heb yn wybod iddo, roedd rhywbeth newydd ar y gweill fyddai'n ailgychwyn hanes ei dad o'r newydd.

*

Cerddodd Tomos ac Eleri yn ôl at Mari i gadw'r addewid i gyfarfod â'i thad.

Yn ôl ei hosgo, roedd rhywbeth ar feddwl Mari. "Mae Dad isie gweld Tomos ar ei ben ei hunan," meddai'n bendant wrth i'r ddau agosáu ati.

Camodd Tomos yn bwrpasol i mewn i'r tŷ gydag Eleri wrth ei gwt.

"Tomos, dwi'n cael dod, on'd ydw?" gofynnodd Eleri.

"Wel, glywest ti Mari. Os ody Glyn wedi gofyn i fi fynd ar

'y mhen fy hunan, gwell neud 'ny," meddai heb arafu ei gam.

Cyflymodd Eleri. "Tomos, ga i ddod jyst i ddweud helô? Dwi 'di dreifio'r holl ffordd…"

Ond roedd Tomos eisoes wedi cyrraedd top y grisiau ac yn sefyll y tu fas i ystafell wely Glyn.

Aeth Mari i'r gegin i wneud paned a dilynodd Eleri hi'n siomedig ond yn ufudd.

Clywodd Tomos lais Glyn yn diolch i'r cyfreithiwr. "Diolch o galon am alw, Gwyn – fi'n ddiolchgar iawn, chwarae teg i chi am wneud yr ymdrech! Mynd mas o'ch ffordd i 'ngweld i. Diolch 'to."

Wedi i Tomos fynd i mewn, cododd Gwyn Jones i adael yn syth gan ddweud ei fod ar frys i fynd i rywle arall.

"Tomos. Croeso, 'ngwas i. Dere miwn. Ca'r drws. Eistedda. Ti am wisgi bach?"

Dangosodd Glyn y botel fach yn slei iddo.

Gwrthododd Tomos gan wenu. Cymerodd Glyn lwnc bach.

"Blydi cyfreithwyr! Mae'n siŵr bydd bil yn cyrraedd ar ôl y sgwrs 'na! Pe byddwn i a ti yn cwmpo mas dros berchnogeth gafar a tithe yn tynnu yn y pen a finne yn dala'i chwt hi, bydde Gwyn Jones yn y canol â'i ddwylo bach pinc yn godro'r anifail, ac yn ca'l y lla'th i gyd!"

"Glyn, dwi'n falch o weld nad y'ch chi wedi newid dim!"

Diystyrodd Glyn y sylw a chymryd llwnc bach arall o wisgi.

Er bod Tomos yn falch bod tipyn bach o'r hen ddrygioni yn dala yn llygaid mawr Glyn, roedd hi'n amlwg bod ei iechyd wedi torri ers ei ymweliad diwethaf dros flwyddyn yn ôl. Roedd e yn ei byjamas ac yn eistedd mewn cadair freichiau wrth y ffenest, yn amlwg wedi arafu.

Hwn oedd hen gawr Llanyborth, dros ei wyth deg bellach ac wedi blino. Plisman answyddogol y pentref. Cofiodd Tomos y tro pan ddaeth dau ddyn o Birmingham i Lanyborth, meddwi yn y Blue Anchor ac wedyn dechrau creu hafoc meddw o gwmpas y pentref a dwyn o'r siop. Gan fod plismyn y sir dros awr bant aeth Glyn yno ei hunan. Ar ôl gafael yn y ddau aeth â nhw yn ôl i'r Blue Anchor gan gnocio eu pennau yn erbyn pob polyn lamp yr holl ffordd yn ôl i'r dafarn. Wedyn gorfododd y ddau i eistedd yn dawel, a rhoi ambell fonclust iddynt tra oedd yntau'n yfed ei beint wrth aros am yr heddlu. Doedd y ddau ddyn erioed wedi bod mor falch o gael eu harestio.

"Dwi'n cymryd dy fod ti wedi bod at y gofgolofn gyda Michael Kelly yn edrych ar enw dy dad."

"Do. Fe ges i sioc! Eitha emosiynol 'fyd – do'dd yr un llygad sych yno!"

Pwyntiodd Glyn at y ffenest.

"Tomos, fi'n galler gweld popeth trwy'r ffenestri 'ma. Mae'n well na *television*. Ti'n gwbod beth weles i nos Sadwrn diwetha? Roedd Dylan, bachgen fferm y Nant, wedi bod yn y Blue Anchor ac wedi yfed drwy'r dydd a'r nos, ac amser *chuck out* fe neidiodd y twpsyn i mewn i'w gar, cymysgu'r brêc a'r sbardun, a dreifio miwn yn glats i dŷ Mrs Lewis gyferbyn. Bennodd y car lan yn y *front room*.

"Daeth tad Dylan i lawr o'r fferm ar gefen tractor, rhoi clipen i'r mab, trefnu masiwn i ddod i drwsio'r wal a rhoi *cash* i gau pen Mrs Lewis. Wedyn llusgodd e'r car yn ôl i'r fferm a rhegi'r holl ffordd, yn ôl y sôn."

"Dim ond yn Llanyborth," gwenodd Tomos.

"Ie. Ac erbyn y bore roedd heddwas o Abertawe yn sefyll o flaen y tŷ yn crafu ei ben ac yn holi pawb beth ddigwyddodd a phwy oedd yn gyfrifol. Ond doedd neb yn fodlon dweud dim wrtho fe. Ie, dyna Llanyborth i ti, Tomos. Cyfiawnder naturiol."

"Ody, Glyn, mae'r pentre 'ma'n llawn cyfrinache," ychwanegodd Tomos.

Sylwodd Glyn ar rywbeth newydd y tu fas. "Drycha. Mae Mrs Wilkins wedi addo rhoi ei hen deledu i'w mab hi, Terrence. Roedd Terrence yma ddeng munud yn ôl yn ffaelu cael y teledu mewn i'w Mini Mentro, fel mae e'n ei alw. Felly mi adawodd y teledu yn yr ardd o flaen y tŷ a mynd i nôl car mwy o faint.

"Ond edrych. Mae Cashman wedi dod i lawr y stryd, gweld y teledu a nawr mae e a'r crwt 'na s'da fe yn y broses o'i gymryd."

Neidiodd gwas bach Harri mas o'r car a dechrau cario'r teledu mawr yn araf tuag at y cerbyd, a Mrs Wilkins yn y tŷ yn cnocio nerth ei dwrn ar y ffenest i ddangos ei gwrthwynebiad.

"Edrych, mae Terrence yn dod yn ôl yn y car arall. Bydd *fireworks* nawr."

Aeth hi'n *tug of war* am y teledu rhwng Terrence a'r bachgen esgyrnog ac wedyn daeth Mrs Wilkins ei hunan mas i ymuno yn y sgrym.

"Edrych, Tomos, mae'r bachgen wedi cael y teledu i mewn i'r car ac mae Harri Cashman am yrru bant."

Chwarddodd y ddau wrth weld Mrs Wilkins a Terrence yn rhedeg ar ôl y car, nes bod dagrau yn dod i'w llygaid.

"Tomos, o ddifrif, mae'n dda bo ti wedi galw. Ro'n i'n awyddus i dy weld ti. Diolch am ddod. Dyw'r iechyd ddim cystel felly dwi'n styc yn yr ystafell 'ma." Edrychodd mas drwy'r ffenest. "Dwi'n gweld popeth o'r ffenest yma, Tomos. Yr olygfa orau yn Llanyborth."

"Dwi'n gwbod. Ry'ch chi'n galler gweld lan a lawr am bellteroedd."

"Odw. A Tomos, mae 'na bethe od iawn wedi bod yn digwydd yn y pentre 'ma ers dyddie. Dyw pobol ddim yn sylweddoli 'mod i'n eistedd yma ddydd a nos yn gweld popeth."

"Pa fath o bethe od, Glyn?" gofynnodd Tomos.

"Pobol ddierth a cheir dierth yn ymddwyn yn od. Yn parcio fan hyn a man 'co cyn symud 'mlân, ac wedyn yn dod yn ôl heb reswm. Edrych."

Aeth Glyn i'w boced, estyn dyddiadur bach du, ei agor a'i basio i Tomos. "Dwi wedi ysgrifennu rhifau'r ceir i gyd i lawr fan hyn."

Agorodd Tomos y dyddiadur a gweld rhifau ceir, dyddiadau a nodiadau bach drosto i gyd. "Ry'ch chi wedi bod yn gwylio gormod o *fantasy films*, Glyn… Chi'n cofio'r ffilm *Rear Window* a James Stewart yn gweld popeth drwy'r ffenest? Chi yw James Stewart y lle 'ma."

"Ie. Ac os dwi'n cofio, James Stewart oedd yn iawn yn y diwedd," meddai Glyn gan symud er mwyn bod yn fwy cyfforddus yn ei gadair.

"Ie, chi'n iawn fan'na, fe oedd yn iawn yn y diwedd. O's unrhyw newydd arall?" gofynnodd Tomos wrth godi ac aildrefnu'r clustogau y tu ôl i Glyn.

"O's, mae 'na. 'Na pam o'n i isie sgwrs 'da ti. Dwi wedi cael *death threats*," meddai a gafael ym mraich Tomos yn dynn.

"Glyn, be sy yn y wisgi 'na?" gofynnodd Tomos yn chwareus, ddim yn ei gredu.

"Onest. O'n i'n eistedd yn y gadair yma yn edrych dros y stryd fel arfer. Noson angladd dy fam oedd hi a daeth dyn a sefyll gyferbyn ac anelu'r dryll. *Twelve bore*, dwi'n credu. Daliodd e'r dryll at y ffenest 'ma am rai eiliadau, cyn cerdded bant. Rhybudd oedd e, Tomos."

"Reportioch chi'r digwyddiad i'r heddlu?"

"Naddo. Ti ddim yn deall. *Warning* i fi gadw'n dawel."

"Cadw'n dawel am beth, Glyn?"

"Am bwy laddodd y bachgen, Gilly, y noson honno flynyddoedd yn ôl. Mae Mari wedi gweud yr hanes wrthot ti ond dyw hi ddim yn gwbod 'mod i wedi cadw'r gyfrinach hyd heddiw, er lles pawb."

"Pa gyfrinach, a pham y bygythiad ar ôl yr holl amser 'ma?"

"Achos fod y stori ar droed dy fod ti'n chwilio am dy dad. Ti wedi corddi trwbwl. Atgyfodi'r holl beth. Cofia, yn 1944 fydde neb wedi credu dyn du mewn llys barn, ond erbyn heddi, mae'n stori wahanol iawn."

"Glyn, pwy ydy'r dyn 'ma?"

"Na, dwi ddim am ddweud. Er mwyn dy ddiogelwch di ac er dy les di dy hunan a phawb arall. A nawr, a thithe'n gwbod bod dy dad druan wedi marw, fe geith y gyfrinach aros yn gyfrinach am byth. Pe baet ti wedi dod o hyd i dy dad byddwn i wedi dweud wrthot ti pwy yw'r dyn nath ladd y bachgen 'na. Ro'n i'n *witness*."

"Iawn, Glyn, ond gobeitho daw'r gwir mas ryw ddiwrnod!"

"Ie, falle, cawn ni weld," atebodd Glyn yn bwyllog cyn cofio fod ganddo gwestiwn i'w ofyn.

"A gyda llaw, Tomos, pam mae'r ferch 'na wedi dod 'nôl i Lanyborth 'to?"

"Pa ferch, Glyn?"

"Y ferch yn yr Allegro."

"Eleri? Ffrind o Lundain. Dyma'r tro cynta iddi ddod i Lanyborth."

"O nage," meddai Glyn wrth estyn ei ddyddiadur eto a bodio'r tudalennau cyn cyhoeddi'n awdurdodol: "July 20th. Allegro, registration EY 3428 parked for two hours opposite Blue Anchor." Pasiodd y dyddiadur i Tomos. "Beth yw hi, Tomos? Plismones neu beth?"

"Beth y'ch chi, Glyn, *traffic warden* Llanyborth?" atebodd Tomos yn bigog gan afael yn y dyddiadur.

Aeth Tomos i'r ffenest ac edrych ar y car. "EY 3428... Ie, chi'n iawn, Glyn." A chyda rhywfaint o siom yn ei lais, ychwanegodd, "Ga i gadw'r dyddiadur 'ma am dipyn bach, Glyn? Dwi am ofyn iddi pam roedd hi 'ma, a pham ei bod hi wedi dweud celwydd wrtha i."

"Iawn, Tomos, cadwa di'r dyddiadur ond gwranda ar hen ben fel fi. Defnyddia dy ben, nid dy galon. Paid â sôn wrth y ferch 'na am hyn. Mae hi wedi dweud celwydd ac mae hi am ddweud mwy o gelwydde 'to. Felly cymer di reolaeth ar y sefyllfa, paid â sôn wrthi am y sgwrs 'ma."

"Ond Glyn, mae 'na rywbeth od iawn am hyn i gyd. Dwi am ofyn iddi."

"O's, 'machgen i. Mae 'na rywbeth od iawn. Ond paid â rhuthro i ddweud wrthi – rhaid i ti fod yn fwy clefer na hynny."

"Iawn, ond beth y'ch chi'n awgrymu felly?" gofynnodd Tomos.

"Dilyn hi. Cymra di'r awenau. Ffendia mas i bwy mae hi'n gweithio. Mae gofyn trin pobol gyfrwys fel mae *mechanic* yn trin ceir sy'n torri i lawr – dim ond wrth agor y bonet ac edrych i mewn y gweli di pa fath o ddiafol mae'r injan yn 'i yrru!"

Daeth cnoc ar ddrws yr ystafell, a llais Mari ar ei hôl. "Dad, mae Dr James yma. Wedi galw ar y ffordd gatre o'r *surgery*."

"Reit, Tomos, cofia'r cyngor a galwa 'to'n glou," sibrydodd Glyn wrth wasgu ei fraich yn dynn a sleifio'r botel wisgi 'nôl i'w boced cyn gweiddi, "Dewch miwn."

Daeth Dr James i mewn gyda'i fag meddygol yn ei law a gwên dyn prysur ar ei wyneb.

Aeth Mari a Tomos yn ôl i lawr y grisiau i sŵn y meddyg a Glyn yn cael geiriau croes.

"Chi'n jocan? Rhoi'r gore i yfed? Na, yfed yw'r unig beth sy'n cadw fi i fynd."

Ar ôl y sgwrs gyda Glyn, aeth Tomos i chwilio am Eleri ond y cyfan a welodd ohoni oedd cefn yr Allegro yn diflannu i lawr y stryd.

"Mae hi wedi pwdu wrthon ni, Tomos. Beth am gael cwpaned?" awgrymodd Mari wrth wylio'r un olygfa.

Ond ymhen ychydig funudau roedd Eleri yn ôl. Ar ôl prin ganllath, roedd y car wedi torri i lawr unwaith eto.

Ymhen yr awr roedd y dyn AA wedi dod. "I'm sorry but the cam belt has gone. It'll cost more than it's worth to fix it," meddai'n hunanbwysig wrth gondemnio'r Allegro.

"Blydi hel," oedd unig eiriau Eleri.

"Dyna biti. Fydd rhaid i ti gael lifft yn ôl yn y bore," oedd unig eiriau Tomos, heb fymryn o gydymdeimlad yn ei lais wrth iddo feddwl am gyflogau da'r plismyn o dan Thatcher – mwy na digon mewn goramser yn unig i brynu car newydd, meddyliodd.

Am weddill y diwrnod roedd tipyn o densiwn rhyngddynt, Eleri wedi pwdu am na chafodd wahoddiad i weld Glyn a Tomos wedi digio oherwydd ei fod yn amau bod Eleri yn heddwas. Y noson honno, arhosodd Tomos yn nhŷ ei fam ac Eleri yn y dafarn leol.

18

John Finsbury Bond

AR Y FFORDD yn ôl i Lundain fore trannoeth llwyddodd Tomos i osgoi trafod cynnwys ei sgwrs gyda Glyn, er bod Eleri wedi ei holi sawl gwaith.

Y cyfan oedd ar feddwl Tomos oedd mynd â hi yn ôl i Lundain cyn gynted â phosib er mwyn ei dilyn yno a dod o hyd i'r gwirionedd amdani.

"Lle ti isie mynd?" gofynnodd Tomos ar gyrion y ddinas.

"Ti'n fodlon mynd â fi i Knightsbridge? Dwi'n tempio mewn swyddfa *magazines* yn Sloane Street wrth ymyl Harrods. Dwi i fod yno ers naw o'r gloch y bora ond does dim ots 'mod i'n hwyr. 'Na i ddeud fy mod i'n sâl."

"Iawn. Dim problem. Ro'n i'n golygu galw i mewn yn Harrods ta beth i brynu anrheg i Glyn. Wisgi bach," meddai Tomos yn rhaffu celwyddau.

Ar ôl parcio rhoddodd Eleri gusan dyner ac annisgwyl i Tomos am y tro cyntaf, ac wedyn dweud bod yn rhaid iddi ruthro i'w gwaith. Aeth Tomos ar ei hôl a'i dilyn ar hyd y strydoedd prysur, gan gadw ei bellter ond gan ddala o fewn tafliad carreg iddi hefyd.

Cyrhaeddodd Eleri Sloane Street a phrynu copi o'r *Times* mewn siop fach. Dilynodd Tomos hi i ben draw'r stryd ac ymlaen i Walton Street. Hanner ffordd ar hyd y stryd honno, aeth hi i mewn i gaffi bach a daliodd Tomos yn ôl ac aros ar gornel y stryd rhag iddo gael ei weld. Ar ôl munud daeth Eleri allan gyda chwpanaid o goffi *takeaway* yn ei llaw, croesi'r ffordd at adeilad mawr llwyd yr olwg a rhedeg i fyny'r stepiau llydan cyn diflannu trwy ddrws derw mawr oedd wedi agor a chau ar ei chyfer.

Ar ôl aros ychydig funudau, cerddodd Tomos draw at yr adeilad ac edrych o'i gwmpas. Ceisiodd yn aflwyddiannus weld i mewn drwy ambell ffenest drwy godi ar flaenau ei draed. Aeth i fyny'r stepiau ac at y drws. Gwclodd yr enw Bluestone uwchben yr *intercom*.

Bluestone, meddyliodd Tomos. Doedd yr enw yna ddim yn canu unrhyw glychau yn y byd cylchgronau. Ychydig a wyddai Tomos fod ei waith ditectif wedi troi'n bwnc trafod yr ochr arall i'r drws.

Yn y cyntedd marmor mawr roedd swyddog wedi bod yn gwylio Tomos ar y camera diogelwch. Cododd yntau'r ffôn wrth ei ochr. "We have a male, mid forties, of African descent at the door behaving suspiciously. Request security to attend."

Yn digwydd bod, roedd Eleri yn y cyntedd yn casglu ei phost o'i blwch personol pan glywodd hi'r gorchymyn i alw'r swyddogion diogelwch. "Is he wearing a black leather jacket and jeans and looks a bit like Danny Glover by any chance?" holodd. Cerddodd draw at y ddesg a gwylio Tomos ar y sgrin.

"I'll go and speak with him. He followed me here. He's just nosy and harmless. Call the heavies off."

Prin fod Tomos yn adnabod y fenyw mewn sgert *pinstripe* a blows wen oedd yn galw ei enw o dop y grisiau.

"Tomos. Yma, rŵan. Ti'n achosi hafoc," gwaeddodd Eleri yn ddifrifol ond eto'n chwareus ar yr un pryd.

Daliodd Eleri'r drws a cherddodd Tomos i fyny'r stepiau ac i mewn i'r adeilad.

"Beth yw'r lle 'ma?" gofynnodd wrth edrych ar y cyntedd marmor a'r grisiau llydan oedd yn troi'n urddasol i'r lloriau uwch.

"Ti wedi 'nilyn i yma. Ro'n i'n meddwl dy fod ti'n ddistaw yn y car, yr hen lwynog… Beth bynnag – ti yma rŵan. Croeso i Bluestone," meddai wrth wahodd Tomos i gerdded gyda hi tuag at y grisiau. "Gwell i ni gael sgwrs fach."

Cerddodd Tomos ar garped moethus y grisiau a syllu ar luniau olew enfawr o frenhinoedd Lloegr mewn fframiau aur bob cam o'r ffordd.

"Beth yw Bluestone? Ti'n edrych yn smart iawn. O'n i'n meddwl taw *temp* oeddet ti mewn swyddfa gylchgronau."

Wrth iddi gyrraedd y coridorau llydan ar y llawr cyntaf, atebodd Eleri heb arafu ei cham. "Bluestone yw ein henw bach ni am MI5."

Daeth Tomos i stop a syllu arni. "MI5?"

"Ia," meddai Eleri yn ddidaro a'i annog i ddal i gerdded. "Paid ag edrych mor *shocked*. Job ydy job. Mi ges i'n recriwtio'n wreiddiol i chwilio am Feibion Glyndŵr. *Under cover...* Job anodd. Stori arall ar gyfer diwrnod arall. Ers hynny dwi wedi bod yn gweithio yn yr adran cysylltiadau cyhoeddus. Felly dwi ddim yn gweld fy hun fel sbei go iawn bellach, er 'mod i wedi cael yr hyfforddiant i gyd."

"Beth sydd gan MI5 i'w wneud â fi? " gofynnodd Tomos.

"Fe gei di eglurhad. Paid â phoeni."

Roedd Eleri yn anelu am ddrws gydag enw arno ym mhen draw coridor hir a thawel.

"Dwi isio i chdi gyfarfod fy mhennaeth i, John Finsbury Bond. Mae o'n swnio fel Sais, ond o Gymru mae o. Mae o'n meddwl dipyn ohono'i hun, cofia – ond mae o'n foi iawn a bod yn onest. Dwi am gael gair bach efo fo gynta, aros di fa'ma."

Eisteddodd Tomos i lawr mewn cadair wrth y drws i aros.

Cerddodd Eleri drwy'r drws a thuag at y ford enfawr yn y canol. Roedd John Finsbury Bond, dyn rhyw hanner cant oed yn gwisgo siwt dywyll a chanddo lond pen o wallt brith, yn eistedd yno yn gwenu'n groesawgar.

"Bore da, syr. Ymddiheuriadau am fod yn hwyr. O'dd

rhaid i mi aros yng Nghymru neithiwr – mi dorrodd y car i lawr, ond torri i lawr go iawn y tro hwn."

"Paid â phoeni. Mi fydd rhaid i ni gael car arall tebyg i ti fel bo ti'n gallu cario 'mlaen i esgus dy fod ti'n *temp* ar gyflog bach."

"Ar y pwynt yna, mae 'na broblem fach wedi codi. Mae Tomos Lloyd wedi fy nilyn i yma bore 'ma… mae o'r tu allan yn aros am atebion."

"A! Dwi'n gweld! Sut digwyddodd hynny?"

"Fy mai i'n llwyr. Mi oedd fy mhen i fyny fy nhin i'r bore 'ma… Dwi'n credu bod un o'r cymdogion yn ôl yn Llanyborth yn amheus ac wedi sôn wrth Tomos."

"Dwi'n gweld. Gwell i ni dy yrru ar gwrs hyfforddi arall i gofio sut mae cuddio."

"Ia, ella wir," cytunodd Eleri yn llwfr.

"Paid â phoeni… gwell i ti ei wahodd i mewn."

Cerddodd Tomos i mewn i'r ystafell i groeso cynnes iawn.

"Mr Lloyd, croeso i MI5, cymrwch sedd."

"Diolch," atebodd Tomos, ac ar ôl ysgwyd llaw gadarn John Finsbury Bond, fe eisteddodd. Roedd yr ystafell yn wahanol i grandrwydd mawr gweddill y lle, ac yn llawn pethau llawer mwy difrifol yr olwg, fel mapiau, peiriannau ffacs a chyfrifiaduron.

"Deg allan o ddeg am ddod o hyd i ni, Mr Lloyd."

"Dwi ddim angen sgôr 'da chi, Mr Bond, angen atebion, dyna i gyd. Dwi'n eistedd mewn swyddfa yn MI5 – a dim syniad pam. Ro'n i'n ame ar un adeg taw plisman oedd Eleri. Dwi ddim yn siŵr ydy hyn yn waeth! Dwi'n cymryd nad oedd dim byd yn bod ar gar Eleri y diwrnod y torrodd hi i lawr ac y galwodd hi heibio'r fflat yn gofyn am ddefnyddio'r ffôn?"

"Na, 'dach chi'n iawn. Ffordd gyfleus i gyflwyno ei hun i chi. Gadewch i mi egluro. Pwrpas Eleri oedd edrych ar eich ôl chi – eich gwarchod."

Gwenodd Eleri, ond doedd Tomos ddim yn siŵr o hyd.

"'Dach chi'n gweld, Mr Lloyd, mae rhywbeth o bwysigrwydd mawr i MI5 yn hyn i gyd, ac ymddiheuriadau am y dulliau cudd. Dyw Eleri ddim yn gweithio fel swyddog MI5 allan yn y maes fel arfer – mae hi'n rhan o'n tîm cysylltiadau cyhoeddus ni erbyn hyn.

"Ond ar gyfer y dasg yma roedd yn rhaid cael swyddog oedd yn siarad Cymraeg – ac, yn ddelfrydol, menyw. Mae dynion yn ymateb yn well i fenywod – realiti bywyd. Ydach chi'n cytuno, Mr Lloyd?"

"Odw, mae'n siŵr bo chi'n iawn. Mi wnes i ddechrau amau rhywbeth ar ôl iddi gofio rhif ffôn hir iawn – a hynny ar ôl gweld y rhifau am fater o eiliade. Dyw hyd yn oed newyddiadurwyr gore Fleet Street ddim yn galler gwneud hynny!"

"Quite! All part of the training, Mr Lloyd."

"Felly – pam dwi angen cael fy ngwarchod gan MI5?"

"Gadewch i mi egluro." Cododd John a cherdded yr ystafell gyda'i ddwylo y tu ôl i'w gefn, fel darlithydd yn traethu ar ei hoff bwnc. "Asiant enwocaf MI5 yw dyn o'r enw Joan Pujol Garcia. Roedd yn gweithio o dan yr enw 'Garbo' ac yn *double agent* yn ystod yr Ail Ryfel Byd – fo oedd yn gyfrifol am Operation Fortitude."

"Operation Fortitude? Dwi wedi clywed am hwnnw," meddai Tomos, er mawr syndod i'r ddau. "Cynllun i dwyllo'r Almaenwyr, gan gynnwys Hitler, i gredu bod y Cynghreiriaid am lanio yn ardal Calais ac nid yn Normandi."

"Ie, chi'n iawn, Mr Lloyd – mae eich gwybodaeth am y rhyfel yn dda. O'dd Joan Garcia yn ddyn cyfrwys iawn ac mi lyncodd yr Almaenwyr y twyll. Gwaith arbennig!

"Mae wedi ymddeol ers blynyddoedd ac wedi derbyn MBE am ei wasanaethau. Roedd y llynedd yn flwyddyn i nodi deugain mlynedd ers D-Day a gofynnodd Joan Garcia i ni yn MI5 drefnu ymweliad iddo â Normandi er mwyn iddo dalu teyrnged i'r milwyr a gollwyd.

"Mi es i gyda Mr Garcia yn bersonol. Ar ôl i ni ymweld â'r traethau glanio mi aethon ni i dre St Lô. Yn ystod yr ymweliad soniodd Maer y dre am filwr du Americanaidd oedd wedi dangos dewrder mawr wrth achub nifer o drigolion ac aelodau'r French Resistance yn y dre. Roedd y Maer yn awyddus i gydnabod y milwr yma ac i gynnig rhyddid y dre iddo fel diolch – ond roedd pob ymdrech i ddod o hyd i'r milwr wedi methu."

"A'r milwr hwnnw oedd Dad?" gofynnodd Tomos yn dawel.

Eleri atebodd y cwestiwn. "Ia. Mae'r cofnodion milwrol yn dweud ei fod wedi cael ei drosglwyddo o'r fyddin yn Llanyborth i'r 29th Division, felly fo oedd yr unig filwr du yn St Lô.

"Y peth mawr arall yw bod y digwyddiad yn St Lô – ar y 25ain o Orffennaf 1944 – ddeng niwrnod ar ôl y cofnod ohono'n cael ei ladd ar y 15fed o Orffennaf. Sy'n golygu..."

Cipiodd Tomos y frawddeg oddi wrthi, "...sy'n golygu fod y cofnod swyddogol yn anghywir."

"Yn hollol. Rhaid i mi gyfaddef 'mod i'n ymwybodol o hyn cyn y cyfarfod gyda'r Athro Meredith yn Oxford – ond doeddwn i ddim yn gallu cyfadde i ti achos doeddwn i ddim i fod i wybod. Felly ymddiheuriadau am hynny."

Aeth John i nôl jygiaid o ddŵr o ben arall yr ystafell a llenwi gwydrau ar gyfer y tri ohonynt. "Diod, Mr Lloyd?" gofynnodd gan osod y dŵr o'i flaen.

"Ar eich ôl chi," atebodd Tomos yn gwrtais.

"A! 'Dach chi'n meddwl fy mod i wedi rhoi rhywbeth yn y dŵr, Mr Lloyd?" gofynnodd John, yn mwynhau gweld bod Tomos yn amheus.

"Dwi'n ysgrifennu llyfrau am ddynion drwg iawn. Dyna un o'r rheolau sylfaenol," atebodd Tomos gan wenu am y tro cyntaf ers tro.

Chwarddodd Eleri a llyncu hanner ei dŵr. "Dŵr

Cymru, Tomos. A phaid â chael syniadau. Dim James Bond wyt ti!"

Yfodd Tomos y dŵr a gwrando ar weddill stori John Finsbury.

"Yn ôl at ein sgwrs. Ar gais Mr Garcia, mae MI5 wedi cytuno i chwilio am y milwr – sef eich tad. Rydan ni wedi holi awdurdodau yn America ond wedi methu â chael llawer o gydweithrediad gan eu bod yn dal i ystyried eich tad yn droseddwr. Felly fe gafodd Eleri y dasg o fynd i Lanyborth – i geisio dod o hyd i'r gwir – a dyna sut y daethon ni ar eich traws chi a'ch teulu. Dyna'r stori i gyd, Mr Lloyd! Eleri, oes ganddoch chi unrhyw beth i'w ychwanegu?"

"Oes, o ran y cyhuddiad o lofruddiaeth. Mae ffeil yr heddlu ar y digwyddiad yn yr archif ac ar ôl edrych trwyddi mae hi'n amlwg fod dryswch mawr wedi digwydd. Yr heddlu yn penderfynu bod dy dad yn euog o'r cychwyn, Tomos, ac wedi diystyru pob posibilrwydd arall. Mi oedd yr holl beth yn *shambles*.

"Ar ôl darganfod y llanast yma, y consýrn naturiol wedyn, er gwaethaf y deugain mlynedd sydd wedi mynd heibio, yw'r posibilrwydd fod y llofrudd go iawn yn dal i fyw ymysg pentrefwyr Llanyborth."

Camodd John i mewn i'r sgwrs. "Felly ar ôl i ni sylweddoli bod yna beryglon, mi drefnwyd eich bod yn cael cymorth Eleri. Mae hi wedi cael hyfforddiant i edrych ar ôl ei hun ac ar eich ôl chi hefyd. Ydach chi'n gweld beth sydd wedi digwydd felly, Mr Lloyd?"

"Odw," atebodd Tomos gyda rhyddhad amlwg yn ei lais. "Ac er gwybodaeth, mae Glyn, fy hen ffrind a chymydog yn ôl yn Llanyborth, newydd gyfadde ei fod e'n gwbod pwy yw'r llofrudd ond roedd e'n gwrthod datgelu'r enw i fi."

Cododd aeliau John Finsbury wrth glywed hyn. "Newyddion da. Mi fydd angen i ni gael yr enw yna ganddo rywbryd – ond yn y cyfamser mae'n rhaid i ni bwyllo a chamu'n ofalus. Y peth gorau i'w wneud yw peidio sôn am y datblygiad newydd yma wrth drigolion y pentref. Mi fyddai'n well i'r pentref gredu fod eich tad wedi marw... am y tro."

Eisteddodd John yn ôl yn ei gadair. "Felly... beth fydd y camau nesaf? Tomos, dwi'n awyddus i chi ac Eleri barhau i gydweithio – ydach chi'n hapus i wneud hynny?"

"Iawn," atebodd Tomos a gwenu i gyfeiriad Eleri.

"Reit. Diolch, Mr Lloyd. O ran y camau nesaf, oes gan rywun awgrym?"

"O's," atebodd Tomos. "Mae 'da fi awydd mynd i St Lô i weld y lle fy hunan, a falle cael cyfle i gyfarfod y Maer?"

"Syniad da. Efallai y dewch chi o hyd i wybodaeth newydd yn y fargen. Mae gen i un peth olaf i'w ofyn cyn gorffen y sgwrs yma," dywedodd John Finsbury. "Os down ni o hyd i'ch tad, Mr Lloyd, mi fydd MI5 yn disgwyl cael rhywfaint o gyhoeddusrwydd i'r achos," eglurodd, gan rwbio ei ddwylo yn ei gilydd. "Mi fydd Mr Garcia a'n llywodraeth ni wrth eu boddau hefyd, wrth gwrs. Ydach chi'n deall, Mr Lloyd?"

"Odw, iawn, dim problem. Mae 'da finne hefyd un peth arall i'w ddweud." Aeth Tomos i boced ei got ledr a thynnu llyfr nodiadau Glyn allan. "Efallai y gallech chi ddadansoddi hwn. Dyma nodiadau Glyn – cofnod o rifau ceir yn perthyn i bobl oedd yn ymddwyn yn 'od' o gwmpas Llanyborth. Os edrychwch chi'n ofalus, mae hyd yn oed Eleri yn gwneud *guest appearance* ynddo," meddai Tomos gan wenu.

Cipiodd Eleri y llyfr o'i law. "Diolch am godi hwnna, Tomos, y snichyn! Mi wnawn *ni'r* jôcs o hyn allan. Gei di brynu *takeaway* i mi heno – i ddweud sorri am feddwl 'mod i'n blisman!" meddai, yn falch fod Tomos a hithau yn ôl ar delerau da.

*

Roedd y ddau'n siaradus dros swper yn fflat Tomos y noson honno a rhoddodd Eleri albwm *Days and Weeks* gan Van Harrison ymlaen.

"Sut wyt ti'n teimlo ar ôl ffeindio ei bod hi'n debygol iawn bod dy dad wedi goroesi'r ymladd yn Ffrainc wedi'r cyfan?"

"Hapus iawn… Y cwestiwn mawr nesa yw beth ddigwyddodd iddo wedyn? Ar ôl y rhyfel. Dwi ddim yn credu bod gan fy mam syniad yn y byd am ei hanes chwaith."

Wrth i'r ddau fwyta symudodd yr albwm ymlaen i'r trac 'Sweet Love'.

"Dyma hoff gân Mam yn y byd," meddai Tomos wrth gofio'r tro y dywedodd hi hynny wrtho pan oedd e gartref ar wyliau yn Llanyborth yn niwedd y chwedegau.

"A fi," meddai Eleri. "Wel, mae hi'n un o fy hoff ganeuon beth bynnag."

"Roedd Mam yn arfer dweud taw cân i doddi dy enaid oedd hon."

"Fe fedri di chwarae'r record hon bob tro ti isio meddwl amdani," awgrymodd Eleri yn dyner wrth i'r ail bennill gychwyn.

> I will hold you strongly in my arms again,
> And you will forget you ever felt the pain.
> We shall walk and talk in places misty with rain
> And we will never never feel so old again.

Heb ddweud gair, cododd Tomos ar ei draed a chodi'r nodwydd oddi ar y record.

"Be sy'n bod?" gofynnodd Eleri. "Nath y nodwydd neidio?"

"Na. Gwranda ar y geiriau yma," atebodd Tomos wrth ailosod y nodwydd er mwyn ailadrodd y pennill.

I will hold you strongly in my arms again,
And you will forget you ever felt the pain.

"Dwi'n gwybod, mae'r *lyrics* i gyd yn dda."

"Odyn, dwi'n gwbod. Ond aros." Aeth Tomos draw at y silff lyfrau a nôl y ffeil gyda 'MAM' wedi ei ysgrifennu arni. "Dwi newydd sylweddoli rhywbeth. Mae 'na nodyn gyda geiriau tebyg ynddo yn y ffeil yma."

Agorodd y ffeil a phori drwy'r papurach amrywiol nes dod o hyd i'r lluniau du a gwyn o'i rieni a'r nodyn. Darllenodd y geiriau yn uchel.

To Sally,

I will hold you strongly in my arms again,
And you will forget you ever felt the pain.

Jerome

"*Romantic* neu be? Dyfynnu llinellau o gân serch."

Gafaelodd Eleri yng nghlawr yr albwm *Days and Weeks* a'i droi drosodd ac edrych ar y cefn. "Ond mae'n dweud ar y cefn 'Recorded on 14 October 1968 at Century Sound Studios in Chicago'. Felly dros ugain mlynedd ar ôl y rhyfel."

"Dwi ddim yn siŵr beth i'w wneud o hyn – o'n i'n meddwl bod y nodyn bach yma'n perthyn i'r llun ac yn dyddio'n ôl i adeg y rhyfel," dywedodd Tomos.

"Na, amhosib – mae'r geiriau yn y cwpled yr un peth yn union â geiriau Van Harrison. Wyt ti'n cofio dy fam yn cael y record yma?" gofynnodd Eleri wrth astudio clawr yr albwm yn ofalus ac edrych ar y nodyn gyda'r cwpled arno am yn ail.

"Na, ro'n i yn y coleg yn y cyfnod yna, dwi'n meddwl."

"Dwi'n bendant bod y nodyn yma'n perthyn i 1968," dywedodd Eleri yn hyderus.

"Dwi'n credu bo ti'n iawn. Ond sut alli di fod yn hollol siŵr?

Falle bod Mam wedi ysgrifennu'r nodyn ei hunan – ffantasi falle?"

"Na, Tomos, sbia ar glawr yr albwm, yn y gornel dde. Mae 'na farc gwyn lle mae'r *sellotape* wedi rhwygo'r clawr ychydig."

Gosododd Tomos y nodyn gyda'r cwpled arno i lawr ar glawr yr albwm a gweld bod y nodyn, ar un adeg, yn amlwg wedi bod ar y clawr.

Parhaodd Eleri â'r gwaith dyfalu. "Felly roedd y nodyn yma yn sownd i'r albwm. Anrheg rhwng dau gariad sydd yma. Hefyd, edrych ar y pris – mae'n dweud £2. Sef ein pres ni, dim *dollars*. *Typical* dyn… anghofio tynnu'r pris i ffwrdd. Dwi ddim yn dditectif, Tomos, ond dwi'n credu'n bod ni newydd faglu ar draws dipyn o stori garu!"

1944

19

St Lô,
25 Gorffennaf

CAFODD YR ALMAENWYR eu gorfodi o dref hardd Normanaidd St Lô ar ôl bomio didrugaredd yr Americanwyr. Roedd y Capten Fuller a Jerome ar gyrion y dref mewn jîp yn teithio'n araf a phwyllog drwy'r strydoedd gwag. Yma a thraw deuai ambell un o'r trigolion fel eneidiau coll o'u seleri cudd a'u hwynebau gwelw fel ysbrydion yn crwydro'n ddigyfeiriad yn yr adfeilion.

"Keep your eyes open, Private, there could still be the odd German here. The place isn't one hundred per cent safe yet," meddai Fuller wrth yrru ychydig yn gyflymach.

"Yes, sir," atebodd Jerome, yn dal dryll o'i flaen.

"Private, our orders are to pick up a couple of French Resistance fighters from a building at this location."

Tynnodd Fuller un llaw oddi ar yr olwyn a rhoi bys mawr budr ar leoliad yn ne-orllewin y map oedd wedi ei osod ym mlaen y cerbyd.

"Private, I want you to know something. Today I had a telegram. Orders from on high to hand you over to the military police. Something to do with a murder back in England."

Roedd Fuller yn gorfod gweiddi uwchben sŵn yr injan.

"I knew it would catch up with me sooner or later. I was involved but I didn't do it. I didn't start killing people till I was in France, sir."

"I believe you, as it happens, Private. I've seen you with your Bible… You're a good man and a good soldier and I'm guessing you're no murderer."

"No, I'm not. And thank you. So when am I going back, sir?"

"I'm going to help you out, Private." Tynnodd Fuller raff yn llawn coleri milwyr o'i boced a'i phasio i Jerome. "These are all the dog tags belonging to the men who have died under my command. I want you to take yours off your neck and add it to this rope."

Ufuddhaodd Jerome. Aeth y capten i'w boced a thynnu rhywbeth allan.

"Now, take this dog tag and wear it yourself. I took it off a guy who was killed on the 15th of July. He was an orphan, never wrote any letters, never got any letters, poor guy. No one to mourn for him and no one to miss him either – so you can take over his ID."

Ufuddhaodd Jerome ac yna rhoi'r rhaff yn ôl iddo.

"Now, Private, I'm going out on a limb here, I'm pretty sure what I've done is against some rules and laws. So we just keep it to ourselves and you'll be on the record as killed in action."

"Thank you, sir. I appreciate it."

"Private, many of us just have a one-way ticket anyway."

*

Wrth i'r cerbyd yrru drwy'r strydoedd llawn adfeilion roedd ambell adeilad yn dal i sefyll ac yn eu plith, trwy ryw wyrth, roedd y Bar Samedi. Nid y ddau Americanwr oedd yr unig rai oedd yn gwneud eu ffordd at y bar ar y foment honno. Yn y llanast roedd ambell Almaenwr hefyd wedi goroesi ac yn eu plith roedd Keitel a llond dwrn o filwyr dan ei ofal.

Er bod yr Almaenwyr wedi rhoi gorchymyn swyddogol i'r

fyddin adael St Lô ers tro, roedd un weithred olaf ar feddwl Keitel wrth iddo arwain ei filwyr tuag at y Bar Samedi, yn y gobaith fod Isabelle a'i chyd-gynllwynwyr yn dal yno.

"Maen nhw'n dod," sibrydodd Isabelle Claude wrth Jaque a Magee. "Mae 'na chwech, falle saith ohonyn nhw. Faint o fwledi sydd ar ôl?"

Agorodd Jaque ei law. "Un," meddai'n dawel.

Edrychodd Isabelle i gyfeiriad ei merch yn eistedd ym mhen pellaf y lle, ac yna ochneidio.

"Fi maen nhw eisie," meddai. Cusanodd ei merch yn dyner ar ei boch ac yna mynd am y drws. "Falle gnân nhw adael i chi fod wedyn…"

Edrychodd Jaque allan drwy'r ffenest i gyfeiriad yr Almaenwyr oedd yn agosáu yn bwyllog tuag atynt drwy'r adfeilion – ond cyn i Isabelle agor y drws daeth jîp Americanaidd i'r golwg y tu ôl iddynt.

"Aros, Isabelle. Mae 'na rywun arall yn dod."

Dechreuodd y bwledi danio o bob cyfeiriad…

1985

20

Ffrainc

"Dwi ddim wedi ysgrifennu gair ers i Mam farw," dywedodd Tomos wrth Eleri wrth iddo yrru'r Capri oddi ar y llong cyn dechrau'r siwrne o borthladd Caen i gyfeiriad St Lô.

"Doedd dim disgwyl i ti, Tomos. Ar ôl colli dy fam ti'n haeddu amser i ddod dros y golled," atebodd hithau.

"Mae 'ny'n wir, ond mae'n rhaid i fi ennill arian. Dyw morgeisi Llunden ddim yn tsiep."

"Na, ti'n iawn. Tomos, ga i ofyn cwestiwn personol?"

"O's 'da fi ddewis?" gwenodd Tomos. "Iawn. *Go ahead*, be ti moyn wbod?"

"Nath dy fam adael pres i ti yn ei hewyllys?"

"Do, pum mil o bunnoedd."

"O, felly mae gen ti bres i gadw dy hun am ychydig, felly."

"Wel... o's... ond dwi heb gael yr arian eto. Mae popeth yn nwylo'r cyfreithwyr yng Nghaerfyrddin. Ond mae'n rhaid i fi gyfadde, fe fydde pum mil yn handi iawn nawr."

"Ocê, wel ar ôl i ni ddod yn ôl o St Lô, beth am fynd i weld Glyn eto a chasglu'r siec ar y ffordd?"

"Iawn, syniad da. Gobeithio nad yw Gwyn Jones 'di neud *runner*. Wedodd e ddim am fynd ar *holiday of a lifetime*."

Er taw jocan roedd Tomos, edrychodd Eleri arno a'i hwyneb yn eithaf difrifol. "*Cash is king*, Tomos. Mae'n rhaid i chdi gael dy bres yn dy boced cyn cracio jôcs fel yna."

"Ti'n iawn. Hei, beth am fynd i'r traethau glanio gynta a dilyn y ffordd i lawr i St Lô wedyn?"

"Iawn, dim problem. Yn y car yma mae teithio'n hwyl. Yn well na'r hen Allegro bach 'na," meddai Eleri.

*

Roedd hi'n fore oer a niwlog wrth iddynt symud yn gyflym drwy diroedd amaethyddol Normandi tuag at y traethau. Wedi gadael pentref Colleville sur Mer trodd Tomos y car am yr arwyddion i draeth Omaha.

Parciodd ym mhentref cysglyd Port en Bessin a cherddodd y ddau ar hyd y traeth, fraich ym mraich, gyda dim ond gwylanod ac ambell ymwelydd yn gwmni.

Yn y clogwyni serth uwch eu pennau, roedd siapiau concrid amddiffynfeydd yr Almaenwyr yn dal i sefyll. Cerddodd y ddau i fyny'r llwybr serth ac edrych yn ôl i lawr ar y traeth o'r clogwyn.

"O fa'ma ti'n gallu gweld pa mor hawdd fyddai saethu dynion wrth iddyn nhw lanio i lawr ar y traeth, on'd wyt?" gofynnodd Eleri.

"Odw. Teimlad od iawn, cofia. Od meddwl fod Dad wedi bod lawr ar y traeth 'na."

Edrychodd y ddau mas i'r môr. "Dychmyga'r milwyr oedd yn treulio'r rhyfel yn diogi fan hyn wrth y traeth yn gwneud dim ac wedyn, un bore, yn dihuno a gweld mil o longe ar yr arfordir yn llawn milwyr oedd yn dod syth amdanyn nhw."

"Ia. Blydi hel, ma'n siŵr eu bod nhw wedi cachu yn eu trowsusa."

*

Aeth y ddau ymlaen dros y clogwyn i'r fynwent filwrol lle claddwyd miloedd o filwyr.

Roedd y glaswellt yn wyrdd yng ngwlith y bore a'r croesau

gwynion mewn llinellau perffaith yn ymestyn i bob cyfeiriad. O amgylch y lle roedd teimlad o lonyddwch a heddwch yng ngwyrddni coed llwyfen, coed derw a rhosod polyantha. Gerllaw roedd nifer o gerfluniau mewn carreg galch a gwenithfaen, a delw efydd o fachgen yn symbol o ieuenctid America. Roedd croes Ladinaidd ar y rhan fwyaf o'r beddi a Seren Dafydd ar y beddau Iddewig.

"Edrych ar hwn, Eleri," meddai Tomos wrth iddynt gyrraedd cornel unig gyda rhestr o enwau ar gerrig enfawr.

Darllenodd Eleri'r geiriau'n dawel. "'Garden of the missing, for those who were never found.' O, 'na drist."

Cyn iddynt ddod yn ddigon agos i ddarllen yr enwau, trodd Tomos ei gefn ar y gofeb. "Eleri, beth am droi 'nôl? Dwi ddim eisiau darllen y rhain. O's ots 'da ti os awn ni yn ôl i'r car?"

"Iawn. Dim problem. Beth am gychwyn am St Lô?"

*

Wrth yrru i gyfeiriad St Lô daethant ar draws mynwent ym mhentref La Cambe a'r arwydd 'Cimetière Militaire Allemand' arni.

"Edrych, Tomos, mae croesau'r Almaenwyr i gyd yn ddu."

Edrychodd Tomos draw a gweld aceri o groesau duon mewn rhesi trefnus. "Ar ôl gweld y rhai gwynion yna i gyd, mae gweld y rhai duon yn gwneud i ti gredu fod y diafol ei hunan wedi dod i lawr i gladdu'r rhain."

*

Erbyn amser cinio roeddent wedi cyrraedd St Lô a pharciodd Tomos ar y sgwâr, lle roedd arwydd mawr yn cyfeirio at arddangosfa o'r Ail Ryfel Byd yn un o'r adeiladau cyfagos. Camodd Tomos mas yn gyntaf a mynd am yr adeilad.

"Eleri, fi'n mynd i mewn i weld hwn. Mae'n costio pum ffranc i fynd i mewn a 'sdim pwynt i ni'n dou dalu. Wela i ti, fydda i ddim yn hir."

Cerddodd Tomos i mewn. Doedd yr arddangosfa ddim yn fawr iawn – cyfres o luniau du a gwyn o ddinistr llwyr y dre yn ystod y rhyfel. Canolbwynt yr arddangosfa oedd ffotograff enfawr o filwyr Americanaidd yn y dre yn dathlu.

Gan nad oedd Tomos wedi dod allan ar ôl sbel go hir, penderfynodd Eleri dalu'r pum ffranc a mynd i mewn ei hunan i ymuno ag e.

Yno, gwelodd Tomos yn sefyll yn edrych ar y ffotograff mawr ar y wal. Yn y llun roedd grŵp o filwyr yn gafael mewn fflag Americanaidd ac yn gwenu, gyda'r geiriau 'Liberation of St Lô' oddi tano.

"Tomos? Ti'n iawn?" gofynnodd yn dyner.

"Dad," meddai Tomos yn dawel.

Edrychodd Eleri ar y llun a sylwi ar yr un milwr du ymysg dwsin o rai gwyn.

*

Roedd y cyfarfod â'r Maer, Adrien Lafont, wedi ei drefnu yn y Bar Samedi. Daeth hi'n amlwg fod Ffrangeg Eleri a Tomos yn well na Saesneg y Maer, felly dyna'r iaith y cytunwyd arni.

"Diolch am gytuno i'n gweld, Monsieur Lafont. Ga i ofyn am yr arddangosfa yn y sgwâr?" gofynnodd Tomos.

"Fy syniad i. Trist, ond pwysig ei gofio – ydach chi'n cytuno?" holodd y Maer yn falch.

Daeth y weinyddes â photelaid o win a bara at y ford.

"Odyn, wrth gwrs," atebodd Tomos, gan gymryd yr awenau ac arllwys y diodydd. "Mae yna un llun, canolbwynt yr arddangosfa. Y milwr yn dal y fflag Americanaidd."

"Ie, llun a dynnwyd y diwrnod y daeth yr Americanwyr i

mewn i St Lô a choncro'r lle yn ôl. 'We sure as hell liberated the hell out of that place,' meddai un Americanwr," atebodd y Maer.

"Ydach chi'n gwybod unrhyw beth am y llun? Pwy dynnodd o? Wyddoch chi unrhyw beth am hynny?" gofynnodd Eleri.

"Dwi'n credu taw'r milwyr dynnodd y llun," atebodd y Maer.

"Pan ddaeth fy nghriw i o MI5 i'ch gweld y llynedd, roedd ganddoch chi ddiddordeb dod o hyd i un milwr yn arbennig, on'd oedd?" gofynnodd Eleri.

"Oedd. Milwr o dras Affricanaidd. Y'ch chi wedi dod o hyd i unrhyw wybodaeth?"

Aeth Tomos i'w boced, estyn y llun o'i dad a'i fam a'i osod ar y bwrdd o flaen y Maer.

Syllodd yntau ar y llun am funud cyn galw'r weinyddes draw at y bwrdd a dangos y llun iddi.

"Muriel, ydach chi'n adnabod y dyn yn y llun hwn? Ai hwn yw'r dyn ni'n chwilio amdano?" gofynnodd y Maer.

Suddodd Muriel i eistedd yn dawel ar gadair wag wrth edrych ar y llun. "Ie, dyma'r dyn gariodd fi allan o'r bar yma yn ei freichiau," meddai gyda dagrau'n cronni yn ei llygaid.

*

Ar ôl sylweddoli taw Tomos oedd mab y milwr, aeth Muriel i chwilio am ei theulu. Daeth yn ôl ymhen rhai munudau gyda'i gŵr a'i merch, oedd yn ei harddegau.

"Dwi'n cofio dy dad a dwi am i ti gwrdd â fy ngŵr a fy merch, Juliette," meddai, â dagrau yn ei llygaid a chryndod yn ei llais.

Cododd Tomos a chusanu'r tri fel Ffrancwr. "Mae'n bleser 'da fi eich cyfarfod chi i gyd."

"Daeth dy dad yma a safio fi a Mam. Dwi'n cofio popeth yn glir. Fe saethodd e'r Almaenwyr i gyd. Roedd popeth drosodd mewn ychydig funudau ond fe gafodd e ei anafu ei hun, dwi'n cofio hynny."

Eisteddodd Tomos yn dawel am funud. "Diolch o galon am rannu hyn efo fi. Dwi erioed wedi cyfarfod fy nhad, felly mae clywed hyn yn bwysig iawn i mi. Diolch."

"Na, ni sy'n diolch i chi heddiw. Mae'n dyled ni i'ch tad yn fawr. Fydde Juliette, fy merch, ddim yma heddiw oni bai amdano fe. Gobeithio y gwnewch chi ddod o hyd i'ch tad. Chawson ni ddim cyfle i ddiolch iddo achos daeth milwyr Americanaidd a mynd â fe i'r ysbyty yn fuan wedyn. Mae 'na lawer iawn ohonon ni, nid fy nheulu i'n unig, ond pobol eraill hefyd, am dalu teyrnged iddo.

"Gyda llaw, daeth hen filwr Americanaidd yma llynedd. Roedd e'n eitha sâl ond roedd yn dod i St Lô i weld y lle ac fe ddaeth e i'r Bar Samedi i holi am Mam ac am eich tad. Yn anffodus bu farw Mam flwyddyn cyn hynny ond fe eisteddodd y dyn wrth y bwrdd yma ac ysgrifennu llythyr i'ch tad a'i selio a'i adael yma rhag ofn y byddai yntau hefyd yn dod yma ryw ddiwrnod.

"Gan mai chi yw ei fab, dwi'n credu mai chi ddylai gael hwn."

Roedd 'JT' wedi'i ysgrifennu ar flaen yr amlen. Agorodd Tomos y llythyr yn ofalus a'i ddarllen yn dawel iddo'i hun yn gyntaf, cyn ei rannu gyda phawb oedd yno.

Dear Jerome,

I don't know if you will ever read this. But I wanted to pen it in person and leave it here in the unlikely event that you ever returned to St Lô as I have done on my journey to Normandy in 1984 to commemorate and remember 40 years since D-Day. I came back here to the Bar Samedi and was made to feel very welcome by the family.

It is particularly poignant for me as I have cancer and am

unlikely to see out the year, so this visit represents closure for me on what was a dark episode but was also heartwarming because I met and fought alongside men who I never saw the like of again.

When we went on that routine mission to pick up the French Resistance fighters we were not expecting any Germans. When I was wounded and you were heavily outnumbered, you nevertheless fought as if all our lives depended on you. Were it not for your bravery, I and those others there would have certainly lost our lives.

Your extraordinary valorous actions were in keeping with the most cherished traditions of military service, and reflect the utmost credit on you, your unit and the United States Army. If you were a white soldier you would have been cited for a military honour but I suspect that this was something that your modesty would not have allowed in any event.

Knowing that you faced a false murder charge in Britain, I reported you as killed in action and I don't know if you took up Private Lovatt's identity but I hope that you went on to have a full and happy life.

As far as the world is concerned, you died at St Lô and despite the years that have gone by, for fear of recriminations against you should it become known that you were still alive, I decided to write this and to leave it for you and you alone to read.

Your friend,
Mark Fuller

Idwal Beller

"REIT, MAE GYNNON ni sawl peth i'w wneud, Tomos," cyhoeddodd Eleri wrth i'r ddau ailymgynnull yn Bluestone ychydig ddyddiau ar ôl dychwelyd o Ffrainc.

Roedd Tomos wedi dod yn ei Capri y bore hwnnw ac wedi ei barcio ym maes parcio Bluestone a bag ar gyfer trip arall i'r gorllewin yng nghefn y car.

Eisteddodd y ddau wrth fwrdd crwn yn swyddfa Eleri a choffi du o'u blaenau.

"Mae angen mynd i weld Glyn eto," cyhoeddodd Tomos.

"Oes, wrth gwrs, a chasglu dy siec di gan y cyfreithwyr hefyd," awgrymodd Eleri.

Roedd Tomos yn hollol gytûn o gofio cyflwr ei gyfrif banc.

"Hefyd, Tomos, mae'n rhaid i fi adrodd yn ôl i ti am ddyddiadur Glyn. Dyma enwau perchnogion y ceir oedd wedi bod o gwmpas Llanyborth yn ôl y dyddiadur."

Pasiodd Eleri restr hir o rifau iddo, gyda nifer o golofnau. "Colofn tri sydd fwya perthnasol, sef colofn enwau'r perchnogion. Mae'n dweud mai ceir Heddlu Dyfed Powys yw'r rhan fwya o'r ceir dierth. Felly dyna dasg arall. Holi'r heddlu yng Nghaerfyrddin pam bod cymaint o arian cyhoeddus wedi cael ei wastraffu. Falle gallwn ni gael gafael ar y Prif Gwnstabl. Mi awn ni ein dau. Ac mae angen mynd ar ôl yr enw 'Lovatt' hefyd, on'd oes? Gan obeithio bod dy dad wedi cadw'r enw am ychydig o leiaf," awgrymodd Eleri.

"Cytuno," meddai Tomos. Tynnodd ffeil o'i fag a'i gosod ar y bwrdd, yna aeth i'w boced ac estyn sbectol ddarllen a'i gwisgo. "Dwi wedi gwneud peth ymchwil," cyhoeddodd.

Daeth mymryn o wên werthfawrogol i wyneb Eleri wrth iddi wylio Tomos yn edrych yn awdurdodol y tu ôl i'w sbectol.

"Yr ysbyty Americanaidd ar gyfer trin milwyr o frwydr Normandi oedd y 188th General Hospital yn Cirencester. Dwi wedi dod o hyd i hanesydd lleol o'r enw Idwal Beller sydd wedi cytuno i helpu. Roedd ei fam yn Gymraes ac mae'n siarad Cymraeg ei hun. Mae e'n gwybod popeth am hanes yr ysbyty gan fod ei dad a'i fam wedi cyfarfod yno adeg y rhyfel – meddyg o'r Unol Daleithiau a nyrs o Gymru. Felly dwi'n awyddus i fynd i'w weld e gyntaf. Siwrne o ddwy awr a hanner dda i gar arferol ond llai na hynny yn y Capri."

Casglodd Tomos ei bapurau a'u rhoi yn ôl yn y ffeil.

"Dwi'n *impressed*. Gwaith da, Tomos… ond o ran teithio yno dwi wedi cael cynnig Range Rover – un sbesial iawn yr MI5." Cododd Eleri'r allweddi a'u hysgwyd.

"Gwell 'da fi'r Capri, os nad o's ots 'da ti," atebodd Tomos. "Dwi ddim yn rhy hoff o'r ceir mawr posh 'na… ma'n nhw'n atgoffa fi o geir y diawled oedd yn dod i Blas Newydd i saethu ffesantod a phetris pan o'n i'n blentyn."

"Mae dy Capri Laser di'n neis iawn, Tomos – ond mewn argyfwng, pa mor gyflym eith o? Naw deg i lawr allt efo'r gwynt? A dim y car gora mewn damwain… dim ond tisian sy raid iti wneud ac mi chwalith y corff yn syth."

Tynnodd Tomos ei sbectol a gwenu. "Dwi ddim yn golygu bod mewn damwain unrhyw bryd yn y dyfodol agos."

"Na, dwi'n gwybod, ond mae 'na fater bach o ddiogelwch, on'd oes, Tomos? Dyna pam rydan ni wedi cael cynnig y Range Rover arbennig yma… cant a phedwar deg milltir yr awr… croen a theiars *anti-ballistic*… *ram bumpers*… *flares*… a'r gallu i fynd chwe deg milltir yr awr… yn *reverse*."

"Na, y Capri, " meddai Tomos yn gadarn wrth i'r ddau adael yr adeilad a pharhau i ddadlau yr holl ffordd mas i'r maes parcio.

*

Suddodd Tomos i foethusrwydd seddi lledr y Range Rover yn benderfynol o beidio â dangos unrhyw werthfawrogiad o gwbl o'r profiad.

"Mae 'na ffôn a phob dim yn hwn. Ti'n licio fo?" gofynnodd Eleri, yn ymffrostio ychydig am iddi ennill dadl y ceir. Addasodd ddrych y car a gyrru o faes parcio swyddogol MI5 tua'r M4.

"Na, car Tori yw e," atebodd Tomos.

"Gei di gerddad tro nesa."

"Duw a ŵyr be ma hwn yn neud," dywedodd Eleri yn ddramatig wrth bwyntio at fotwm mawr coch peryglus yr olwg yng nghanol y dashfwrdd.

"Gyda lwc, *ejector button* i'r dreifer yw e," meddai Tomos.

"Ha, ha, doniol iawn, Tomos. Hei, on'd oedd y teulu 'na yn St Lô yn glên yn mynnu bod ni'n aros am ddim efo nhw? Ella gallwn ni fynd 'nôl eto rywbryd? Efo dy dad ella?"

"Iawn. Ond beth am fynd, ta beth fydd yn digwydd?" awgrymodd Tomos.

"Iawn," atebodd Eleri yn frwdfrydig. "Pam lai," ychwanegodd wedyn, yn dawelach, er mwyn peidio ymddangos yn orawyddus. "Reit, lle mae Cirencester?" gofynnodd wedyn wrth daflu map i gôl Tomos.

*

"Fydd gan y dyn yma rywbeth defnyddiol i'w ddweud, ti'n meddwl?" gofynnodd Eleri wrth barcio y tu fas i dŷ Idwal Beller, yr hanesydd lleol.

"Bydd, gobeithio. Roedd e'n dweud ar y ffôn fod 'da fe bob math o wybodaeth."

Roedd y tŷ mewn rhes dawel ar ffordd goediog ac yn debyg iawn i'r rhan fwyaf o dai a adeiladwyd yn y tridegau. Daeth dyn tua deugain oed mewn siwt flêr yr olwg i'r drws ac arwain y ddau i'r lolfa.

Roedd y lolfa yn llawn ffasiwn ac oglau'r chwedegau gyda lamp glöwr a phedolau efydd o gwmpas yr ystafell a phoster Star Trek yn ganolbwynt od iawn i'r holl beth. Gwyddai Eleri na fyddai unrhyw fenyw o dan ei hanner cant yn caniatáu'r fath gawlach. "Ydach chi'n byw ar eich pen eich hun?" gofynnodd, er ei bod hi eisoes yn amau beth fyddai'r ateb.

Atebodd Idwal mewn acen dysgwr go gref. "Na, mae Dad yn byw yma hefyd. Mae e'n hen ac mae e angen tipyn o ofal a bod yn onest. Mae e'n cysgu ar y funud. Paned?"

Roedd Tomos ar fin derbyn ond gwrthododd Eleri ar eu rhan. "Na, mae hi'n iawn. Dim ond dod i holi oes gynnoch chi wybodaeth am y milwr Private Lovatt."

"Iawn, wel dwi am gael paned, felly mi fydda i 'nôl mewn munud."

Diflannodd Idwal i ochr arall y tŷ i nôl ei baned.

"Tomos, pwy ydy'r boi yma? Rhyw fath o *fantasist* neu be? Edrych ar y poster yna. Dydy o ddim yn llawn llathan. Awn ni o 'ma yn go gyflym os nad ydy o'n gwybod rhywbeth defnyddiol iawn."

Cyn i Tomos ateb daeth Idwal yn ôl gyda chasgliad o luniau a darnau o bapur mewn ffeil enfawr.

"Dyma gasgliad personol sy gen i – *personal collection*."

Agorodd Idwal y ffeil a dechrau gosod y lluniau yn ôl y rhifau oedd wedi cael eu hysgrifennu arnynt. Erbyn iddo orffen roedd wedi gorchuddio'r holl garped.

"Dwi wedi bod trwy restr yr holl enwau – mae un cofnod o Lovatt."

Cerddodd Idwal ar hyd yr ystafell a dewis un llun oedd yn dangos criw enfawr o bobl, cyfuniad o staff a chleifion yr ysbyty.

Rhoddodd ei fys ar un wyneb du yng nghanol y llun. "Private Lovatt. Mis Tachwedd 1944."

"Diolch," meddai Tomos. "Defnyddiol iawn," ychwanegodd a thaflu cip sydyn i gyfeiriad Eleri.

"A dyma Mam a dyma Nhad," ychwanegodd wedyn wrth bwyntio at nyrs a meddyg yn y llun.

"O's yna unrhyw wybodaeth arall am Lovatt? Dyddiad gadael yr ysbyty, neu unrhyw beth o gwbwl?" gofynnodd Tomos.

"Oes. Ar ôl gwella roedd e i fod i fynd yn ôl i America fel pawb arall ond does dim record o hynny. Mae Lovatt yn diflannu. Dim cofnod o gwbwl – dwi wedi edrych ym mhobman. Dwi wedi siarad gyda *contact* yn y Military Archive yn America, ond dim byd – *the trail runs cold*. Cofiwch, mae cadw cofnod llawn o bob milwr yn amhosib."

Yng nghanol y sgwrs, agorodd drws y lolfa a daeth hen ddyn dryslyd a gwelw yr olwg mewn slipers a phyjamas i mewn a syllu ar Tomos fel petai wedi gweld ysbryd.

"You came here to find Lovatt, the black one… Lovatt's gone," meddai'r hen ddyn yn gyhuddgar. "Wounded he was… we fixed them all… Germans hit them with everything they had… "

Cododd Idwal ar ei draed a mynd draw ato. "OK, Father… they're just friends. Go back to your room to rest… Remember I promised you could watch a film later… there's an Ealing Comedy called *The Fast Lady*… remember," dywedodd Idwal wrth ei hebrwng oddi yno.

"Yes… *The Fast Lady*… Benny Hill… Leslie Phillips…" dywedodd y tad wrth fynd.

Ar ôl mynd â'r hen ddyn yn ôl yn saff i'w ystafell, ymddiheurodd Idwal. "*Dementia*… a neithiwr dwi wedi drysu popeth. Gofynnes oedd e'n cofio Private Lovatt. Ers hynny mae e wedi siarad mewn *riddles*. Storïau am y rhyfel – rhai'n gwneud synnwyr a rhai'n nonsens llwyr."

Cyn i Tomos adael, diolchodd i Idwal am ei ymdrechion. "Mae hi'n anodd iawn arnoch chi, Idwal, mae 'da chi waith caled yn edrych ar ôl eich tad. Dyma'n rhifau ffôn ni rhag ofn y bydd rhyw wybodaeth newydd yn ymddangos o rywle."

*

Yn ôl ar yr M4 roedd y ddau'n gwrando ar gerddoriaeth pan ddaeth galwad ar ffôn y car.

"Agent 545 speaking," atebodd Eleri. "When did that happen, sir? … What is his condition? … Our ETA is 12.45 p.m."

Wedi iddi ddod â'r alwad i ben, trodd Eleri at ei chyd-deithiwr. "Tomos, mae gen i newyddion drwg i ti. Mae Glyn newydd gael ei ruthro i'r ysbyty mewn ambiwlans."

"Sut mae MI5 yn gwybod hynny?" gofynnodd Tomos.

"Sorri, ond ar ymweliad blaenorol mi roddes i fyg bach ar ffôn dy fam a Mari er mwyn monitro'r galwadau. Mi ffoniodd Mari am ambiwlans beth amser yn ôl."

"Beth?" gofynnodd Tomos, yn ffaelu credu ei glustiau.

"*Calm down*, Tomos… Be sy'n dy boeni di fwya? Y ffaith bod Glyn yn yr ysbyty neu 'mod i wedi rhoi byg ar y ffôn?"

"Y ddau," atebodd Tomos yn swta cyn gofyn y cwestiwn amlwg. "Ti 'di rhoi byg ar fy ffôn i 'fyd?"

"Na, dim eto… Dwi wedi'i neud o er mwyn monitro'r sefyllfa a gwarchod pobol ddiniwed – felly jyst bod yn ofalus… Ymlacia, dwi am roi 'nhroed i lawr rŵan… a rhoi'r seiren ymlaen i ni gael cyrraedd yr ysbyty 'na *asap*."

Cyflymodd y car ac agorodd traffig yr M4 o'u blaenau fel y Môr Coch.

22

Miss Beti Jones

AM WEDDILL Y daith i'r ysbyty roedd Tomos yn dawel. Tynnodd anadl hir wrth gofio taw Glyn oedd y peth agosaf at dad a gawsai erioed. Roedd ei fam a Mari yn addo pethau iddo yn glên ac yn anghofio wedyn, ond roedd Glyn yn wahanol. Cofiodd Tomos sut y byddai ei fam wastad yn anghofio iddi addo y byddai'n cael mynd gyda hi ar y tripiau i weld Wncwl Ffred, ac nad aeth e gyda hi erioed. Ond os dywedai Glyn y câi Tomos fynd i saethu neu i bysgota yna fe gadwai ei air a hynny'n ddi-ffael.

Ar ôl cyrraedd yr ysbyty aeth Tomos yn syth i mewn. Er syndod iddo, roedd Glyn yn eistedd i fyny ac yn edrych yn eithaf da ar yr olwg gyntaf. Roedd Mari wrth ei wely a nyrs ifanc yn cymryd ei dymheredd.

"Helô, Jerome," dywedodd Glyn â'i geg yn gam, yn nodweddiadol o strôc ddigon eger.

Roedd Mari'n sefyll yr ochr arall i'r gwely yn ysgwyd ei phen yn dawel.

"Nawr bo ti wedi dod, dwi am fynd i ga'l cwpaned fach, Tomos," dywedodd Mari, yn falch o gael munud fach i ddod ati hi ei hun ar ôl trafferthion y bore.

Ar ôl i Mari fynd, gafaelodd Tomos yn llaw Glyn a'i gwasgu'n ysgafn. "Wncwl Glyn, ydyn nhw'n edrych ar 'ych ôl chi'n dda 'ma?" gofynnodd, yn ffaelu meddwl am unrhyw beth gwell i'w ddweud.

Daeth yr un nyrs ifanc a gymerodd ei dymheredd yn ôl ato.

"Drychwch, mae Jerome wedi dod yn ôl," dywedodd Glyn wrth y nyrs.

"Na, dim Jerome yw hwn. Tomos yw enw'r dyn 'ma sydd wedi dod i'ch gweld," meddai hithau.

Gwnaeth Glyn arwydd â'i law i'w gymell i ddod yn agosach ato, fel petai am rannu cyfrinach. Closiodd Tomos a dechreuodd Glyn siarad yn dawel. Torrodd y nyrs ifanc ar eu traws.

"Dwi angen cymryd ei bỳls e nawr."

Camodd Tomos yn ôl er mwyn rhoi lle i'r ferch ond roedd hi'n amlwg wrth edrych ar Glyn fod ei gyflwr yn dirywio'n gyflym.

Wedi cyflawni ei dyletswydd, symudodd y nyrs i ofalu am glaf arall mewn gwely cyfagos.

Roedd Glyn yn amlwg ar frys i siarad, er ei fod yn cael trafferth ffurfio'i eiriau.

"Mae'r cof yn dechre mynd, Tomos bach. Richard James," sibrydodd wedyn, gan wasgu braich Tomos yn dynn. "Wyt ti'n 'y nghlywed i, Tomos? Richard James… Richard James laddodd y bachgen Gilly."

Daeth y nyrs yn ôl ar ôl gweld bod Glyn wedi dechrau cynhyrfu.

"Gwell i chi gael *rest* nawr, Mr Davies."

Llaciodd Glyn ei afael ar fraich Tomos a gorwedd yn ôl yn dawel.

*

Daeth Tomos o hyd i Mari ac Eleri yng nghaffi'r ysbyty.

"Richard James?" dywedodd Mari ar ôl i Tomos ailadrodd yr hyn a ddywedodd Glyn wrtho. "Fe yw mab hen ficer Llanyborth. Mae'r hen ficer wedi marw ers blynyddoedd."

"Pam mae Glyn wedi cadw'r gyfrinach am yr holl amser?" gofynnodd Eleri.

"Dwi'n gwybod pam," atebodd Mari. "Er mwyn Eirian, gwraig Richard, a'r plant," meddai cyn mynd ymlaen i egluro. "Mae Dad yn meddwl y byd o Eirian. Mae hi'n bersonoliaeth mor llon, a Richard mor annymunol. Priododd hi Richard pan oedd hi'n ifanc iawn – angen sicrwydd, chi'n gweld, a Richard wedi cael fferm gan y cyngor i'w ffarmo.

"Mae Eirian wedi bod draw i weld Dad sawl gwaith, ond tu ôl i gefen Richard bob tro. Mae e'n dal i fod yn hen ddiawl, er ei fod e yn ei saithdege.

"Mae'r ddau'n dal i fyw lan ar ffordd Caetyddyn, tŷ fferm mawr tua dwy filltir o'r pentre. Mae Richard James yn ddyn peryglus, gwyllt ei dymer a'i dŷ yn llawn o ynnau hela," dywedodd Mari cyn iddi eu gadael a mynd yn ôl at ei thad.

Cododd Eleri a Tomos a mynd am y car.

"Gwell i fi fynd i gasglu'r siec gan y cyfreithwyr, neu bydda i'n *bankrupt* erbyn y bore," dywedodd Tomos.

"Iawn, mi ro i lifft i ti. A tra bo ti'n neud hynny, dwi am fynd am dro bach i weld lle mae'r dyn Richard James yna'n byw. Ond dwi ddim am fynd yn rhy agos, dim ond edrych o bell."

*

Neidiodd y ddau i'r car a gadael gyda sgrech fach o'r olwynion.

"Bydd yn ofalus, Eleri. Ti'n siŵr bo ti am fynd dy hunan?"

"Dim problem, dim ond *recce* bach i weld lle mae'r fferm. Os digwydda i ddod ar ei draws o mi wna i esgus 'mod i ar goll ac angen cyfarwyddiadau yn ôl i Gaerfyrddin. Ar ôl i ti gael dy siec, aros di o gwmpas tu allan. Mi awn ni hefo'n gilydd i swyddfa'r heddlu wedyn."

"Iawn, gollwng fi tu ôl i'r mart. Fe gerdda i i Heol y Cei," atebodd Tomos.

*

Ar ôl gollwng Tomos, gyrrodd Eleri mas o'r dref ac i bentref Llanyborth. Ymhen dwy filltir wedyn, gwelodd fferm Caetyddyn. Gyrrodd heibio ddwywaith er mwyn gweld a oedd arwydd o fywyd yno ond roedd popeth yn ymddangos yn dawel. Parciodd y car gerllaw a cherdded yn ôl at y tŷ fferm.

Doedd fawr o fywyd i'w weld yn y lle. Cerddodd Eleri o gwmpas y tŷ. Fel arfer, yn ffermydd yr ardal, byddai'r cŵn wedi ei chlywed ac wedi dechrau cyfarth erbyn hyn, ond yr unig beth i'w glywed oedd distawrwydd a sŵn ambell frân yn y coed gerllaw. Roedd y tŷ fferm yn fawr ac yn sgwâr gyda drws yn y canol a phedair ffenest dal a thywyll, ond doedd dim sôn am yr un enaid byw.

Gwyddai Eleri yn iawn fod hyn yn beth eithaf cyffredin ar fferm – y lle'n dawel fel y bedd y tu blaen ac yn fwrlwm o fywyd yn y cefn. Ond roedd rhywbeth tawelach na hynny am y lle yma, meddyliodd wrth fynd o gwmpas talcen y tŷ i'r cefn a gweld popeth ar glo.

Wrth iddi gyrraedd y cefn fe welodd hi'r ci yn rhy hwyr. Ci mawr a blin yn rhedeg yn syth ati ac yn neidio'n uchel am ei hwyneb. Doedd dim amser gan Eleri i ymateb, dim ond codi ei dwylo er mwyn ei harbed ei hun.

Ond yn lle teimlo dannedd y ci clywodd sŵn cadwyn yn ymestyn wrth i'r ci redeg hyd ei heithaf a chael ei dynnu'n ôl yn galed – a'i adael yn cyfarth a chwyrnu'n wyllt wrth ei thraed.

Yn yr holl gynnwrf a sŵn, doedd Eleri ddim wedi clywed y car na'r gyrrwr gwyllt y tu ôl i'r olwyn. Roedd Richard James wedi gorfod cwtogi ei hoff weithgaredd a dod gartref. Saethu oedd ei brif ddiddordeb ond roedd wedi dod gartref mewn tymer ddrwg oherwydd bod rhywun wedi rhoi newyddion annisgwyl iddo.

Roedd yn gandryll ar ôl i un o'i gyd-helwyr ddweud wrtho

ei fod wedi gweld Eirian yn parcio yn yr ysbyty. Gwyddai Richard yn syth taw ymweld â Glyn y tu ôl i'w gefn roedd hi wedi'i wneud – ac roedd hi'n siŵr o fod yn dal yno hefyd. Gwasgodd olwyn y car yn ei natur wrth gofio bod ei pherthynas hi â'r hen ddyn yna wedi closio eto, yn enwedig ers iddo fynd yn dost a gorfod aros yn ei wely.

Arafodd Richard wrth weld y car mawr dierth wedi'i barcio heb fod yn bell o'r tŷ.

Doedd gan Eleri, yn union fel yr holl lwynogod a sgwarnogod anffodus a groesodd lwybr Richard James dros y blynyddoedd, ddim syniad ei fod e yno, a dim syniad chwaith sut y llwyddodd i ddod mor agos ati heb iddi sylwi.

Ond pan ddaeth swn 'clwnc' unigryw dryll *twelve bore* yn cau, roedd Eleri'n gwybod bod rhywbeth yn y gwynt. Yn yr eiliad oedd ganddi i ymateb, gwyddai'n syth taw'r dewis oedd naill ai troi ac wynebu'r dyn yn bwyllog, gan fod ganddi esgus digon diniwed i fod yno, neu redeg a gobeithio'r gorau.

*

O'r tu fas, roedd golwg mor llwm ar swyddfa Gwyn Jones & Co. fel y bu'n rhaid i Tomos edrych ddwywaith i wneud yn siŵr ei fod yn y lle iawn. Cofiodd am y profiadau diflas o fynd yno yn ystod ei blentyndod pan fyddai ei fam yn diflannu i ystafell Gwyn Jones a'i adael yntau yn y dderbynfa i aros amdani. Doedd dim i'w wneud heblaw eistedd mewn cadair yn edrych ar y poster 'Have you made a will?' a gwrando ar Miss Jones yr ysgrifenyddes yn dyrnu teipio o dan ei sbectol gorniog, oedd yn ffasiynol ar y pryd, ac un o'i llygaid ar gau o achos mwg y sigarét yng nghornel ei cheg.

Bryd hynny roedd Miss Jones wedi dilyn cyngor yng nghylchgrawn *Vogue* ar gyfer y genhedlaeth newydd o ferched oedd yn mynd allan i weithio am y tro cyntaf – sef gwisgo'n smart yn y gweithle ond â'r rhybudd 'Don't overdo it, you don't want unwanted attention from your male co-workers', felly gwisgai sgert hir at ei thraed bob amser. Ac fel y digwyddodd pethau, fe weithiodd y dacteg yn berffaith, a Miss Jones fu hi ar hyd ei hoes.

Ond roedd hyd yn oed llai o fywyd yn swyddfa Gwyn Jones & Co. heddiw. Roedd arwydd bach yn y ffenest yn dweud 'Wedi cau oherwydd ymddeoliad. Busnes yn nwylo perchnogion newydd maes o law.'

Aeth Tomos at y drws pren mawr a sylwi ei fod ar agor a lleisiau i'w clywed yn cario mas i'r stryd drwy gil y drws. Gwthiodd ef yn ysgafn a sylwi ar domen o bost wedi casglu ar y llawr. Camodd yn dawel i'r cyntedd a chlustfeinio am funud er mwyn dyfalu pwy oedd yn y swyddfa, o ystyried pendantrwydd y nodyn yn y ffenest.

Roedd Miss Jones yng nghanol y bumed sgwrs am ddiffygion ei phensiwn. Bu yno drwy'r bore, yn manteisio ar y cyfle i ffonio ei holl ffrindiau. Roedd y stympiau niferus yn y blwch llwch o'i blaen yn dyst iddi danio Silk Cut newydd ar gychwyn pob sgwrs. Wrth ei hochr, mewn cadair arall, roedd ei ffrind Hazel, gyda'i siopa yn ei chôl, yn cytuno â phob gair.

"Ar ôl *thirty years' service*, dim ond dau gant y mis o bensiwn," meddai, gan ailadrodd yr un geiriau am y pumed tro y bore hwnnw. "A Gwyn ar gwch yn y Med... yn gorwedd yn yr haul a rhoid *notice* i fi cyn gadael fod yn rhaid i fi adael y fflat uwchben y swyddfa erbyn diwedd y mis."

Roedd Hazel yn porthi pob gair, "Yn hollol... yn hollol," ac yn ysgwyd ei phen mewn cydymdeimlad wrth dynnu'n galed ar Silk Cut o becyn sigaréts Miss Jones.

Cerddodd Tomos i mewn yn bwyllog o'r cyntedd rhag eu dychryn ond roedd hi'n rhy hwyr. Neidiodd Hazel yn ôl yn ei chadair yn reddfol ar ôl gweld y dieithryn o'i blaen. Cwympodd yn ôl a disgyn ar ei chefn, a dim ond ei thraed oedd i'w gweld wrth i gynnwys ei bag siopa saethu ar hyd y llawr. Ar yr un pryd, roedd Miss Jones wedi cael ofn hefyd ac wedi gollwng y ffôn o'i llaw a sgrechian wrth weld y dyn yn sefyll o'i blaen.

"Helô?" meddai Tomos yn ysgafn. "Sorri codi ofon arnoch chi fel hyn."

Ar ôl dod ati hi ei hun a sylweddoli taw mab Sali Lloyd oedd y dyn dierth, fe adawodd Hazel yn dawel a gadael i Miss Jones egluro presenoldeb y ddwy yn y swyddfa.

"Mae'r swyddfa wedi cau yn swyddogol ond mae'r allweddi yn dal 'da fi, chi'n gweld. Cadw llygad ar y lle nes bo'r perchnogion newydd yn sortio popeth mas."

"Chi wedi cael newyddion drwg, Miss Jones?" meddai Tomos, yn edrych i gyfeiriad y ffôn oedd yn dal i hongian o'r ddesg mor ddibwrpas â rhaff wag.

"Do," atebodd hithau yn fyr ei gwynt. "Wedi cael llythyr bore 'ma. Talu mewn i bensiwn ers blynydde, a wedyn ca'l siom o ffindo mas na fydda i'n ca'l lot."

"Ddrwg 'da fi glywed, Miss Jones, a chi'n grac gyda Mr Jones, siŵr o fod?"

"Ansensitif fi'n gweud. *Off* am wylie a rhoi *notice* i fi ar y fflat cyn mynd. Fi wedi byw uwchben yr *office* ers 1953."

"O, falle taw *leasehold* oedd yr adeilad ta beth?" ychwanegodd Tomos, gan geisio rhesymu ychydig rhag i enw Gwyn Jones fod yn gyfan gwbl yn y baw.

"Wel, ie, chi'n iawn, *leasehold* yw e," atebodd Miss Jones gan roi'r ffôn yn ôl yn dawel.

"Felly doedd dim dewis mewn ffordd?" awgrymodd Tomos wrth eistedd yn y sedd wag ac ancsmwytho rhywfaint wrth sylweddoli bod y sedd yn dal yn gynnes ar ôl i Hazel ei thwymo.

"Wel na, chi'n iawn," cytunodd hithau, ond yn ôl tôn ei llais roedd hi'n amlwg bod yn well ganddi ei fersiwn hi.

Doedd Tomos ddim yn siŵr sut i godi cwestiwn yr arian o dan y fath amgylchiadau, ond yn ffodus fu dim rhaid iddo gan fod y sgwrs wedi arwain yn reit naturiol i'r cyfeiriad cywir.

"Cyn i fi anghofio, sorri am 'ych mam. Roedd hi'n fenyw hyfryd."

"Diolch, Miss Jones. Diolch yn fowr. Caredig iawn. Ro'n i wedi galw i ga'l y siec. Arian Mam."

"Ie. Y peth diwetha 'nes i diwedd yr wythnos oedd postio'r sieciau. Ond fe wna i edrych rhag ofon, i fod yn siŵr."

"Diolch, Miss Jones. Dwi'n ddiolchgar iawn."

"Fe edrycha i yn y llyfr sieciau. Mae popeth yn drefnus. Gwyn fydde'n edrych ar ôl popeth i'ch mam ac yn delio gyda'r banc ac yn talu i bawb."

Wedi mynd i nôl yr allwedd fach o guddfan o dan y ddesg, cerddodd Miss Jones yr ychydig gamau at y rhes o gabinets llwyd a chlo bach ar bob un. Roedd Tomos yn gyfarwydd â'r rhain. At y rhain y deuai Gwyn Jones cyn pob cyfarfod gyda'i fam, ac allwedd yn ei law.

"Chi'n cofio dod yma'n grwt, Tomos?" gofynnodd yr ysgrifenyddes wrth droi'r allwedd yn y clo.

"Sut gallwn i anghofio, Miss Jones?"

"A Gwyn yn ecseitio bob tro bydde fe'n ei gweld hi," ychwanegodd hithau, gan agor y drâr ac estyn y llyfr sieciau cyn ei gau'n glep, cerdded yn ôl at ei desg a gwisgo'i sbectol. "Ro'dd e'n actio fel crwt bach, yn hofran o'i chwmpas hi fel petai hi'n *femme fatale* neu rwbeth."

"O'dd, a hithe mewn cot ffwr hefyd, chi'n cofio?" ychwanegodd Tomos gan wenu.

"Cofio? Fi o'dd yn gorffod cael y swyddfa'n barod, fel petai *royal visit* yma. Prynu blode yn y mart i'w rhoi yn *reception*, peidiwch â sôn.

"O'n i'n gwbod bob tro pryd y bydde cyfarfod gyda Sali Lloyd achos dyna'r unig amser bydde fe'n rhoi *aftershave* 'mlân yn y bore cyn gadael y tŷ… Clubman *aftershave*. Fi'n cofio'r Clubman *adverts*, 'the floral heart of jasmine dances with lavender'… a wedyn Old Spice nes ymlân. Ach-y-fi."

Chwarddodd y ddau yn gytûn.

"Ie, Tomos, Audrey Hepburn a Liz Taylor *all rolled into one*. Dyna o'dd eich mam i Gwyn," ychwanegodd gyda thinc bach o genfigen yn ei llais.

"Ie, druan o Gwyn," cytunodd Tomos, gan gofio iddo ef hefyd sylwi. Hyd yn oed fel bachgen bach, roedd wedi sylwi bod y cyfreithiwr yn hoff iawn o'i fam ac yn gwneud sioe fawr ohoni bob cyfle gâi e. Yn yr un modd, roedd yn cofio sut byddai ei fam yn ymateb iddo, a phob dyn arall fyddai yn ei gwerthfawrogi o ran hynny. Godro'r sylw gyda chyffyrddiad braich neu gusan boch ond cofiai Tomos y byddai'n cadw ei phellter y tu hwnt i hynny.

Ar ôl munud neu ddwy o fynd trwy fonion y llyfr sieciau, cyhoeddodd Miss Jones fod y siec wedi mynd ers ychydig ddyddiau.

"Mae'r sieciau i gyd wedi mynd o'r cyfrif, pawb wedi cael eu talu."

*

Ar yr un pryd yn union, ar fferm Richard James, roedd gan Eleri gwestiwn.

"Oes rhaid pwyntio'r dryll yna ata i?"

"Pwy y'ch chi?" gofynnodd Richard gan ddiystyru'r cwestiwn.

"Dwi ar goll. Dwi'n chwilio am gyfarwyddiadau yn ôl i Gaerfyrddin."

"Celwydd," cyfarthodd Richard heb symud ei wn. "Celwydd achos does dim isie cyfarwyddiade ar neb – mae'r arwyddion i Gaerfyrddin ym mhob pen i'r ffordd 'ma."

"Sorri. Dwi'n ddall. Dwi ar fy ngwylia. Pen yn y gwynt. Dwi jyst angen gwybod pa ffordd mae Caerfyrddin plis."

"Ar wylie? Na 'dych. Dim car *tourist* yw hwnna," meddai yn gas, fel pe bai Eleri wedi troseddu yn erchyll.

O edrych ar ei wyneb, synhwyrodd Eleri fod rhywbeth mwy na thymer yn fflachio yn ei lygaid ac y byddai hi'n amhosib rhesymu ag ef.

"Cerddwch… Cerddwch 'mlân…" gorchmynnodd, a phwyntio tuag at waelodion y clos gyda blaen ei wn.

Ufuddhaodd Eleri a cherdded i lawr drwy'r clos wrth geisio dyfalu beth oedd gan y dyn mewn golwg a pham roedd e'n awyddus iddi gerdded ymhellach o'r tŷ fferm a thuag at y siediau. Ymhen rhai eiliadau daeth hi'n amlwg fod Richard James yn anelu at bydew slyri enfawr y tu ôl i'r siediau, a hwnnw bron â bod yn llawn.

"'Mlân. Cym on," meddai Richard a phwyntio'r dryll yn syth at y pydew.

Dim ond ar ôl cyrraedd o fewn rhai llathenni iddo y sylweddolodd Eleri fod y dyn yma'n bwriadu ei lladd hi.

"Neidiwch," meddai yn oer a chyda phwrpas yn ei lais.

"Na wna i. *No way*," gwaeddodd Eleri yn ei wyneb a cheisio dal ei thir, gan wybod taw ei fwriad oedd ceisio gwneud i'r peth edrych fel damwain. Merch wedi colli ei ffordd, baglu a boddi. Hawdd. Un ddamwain amaethyddol arall i'w hychwanegu at yr ystadegau.

"Neidiwch," meddai unwaith eto gan gamu ymlaen ati y tro hwn.

"Pam?" gofynnodd Eleri wrth gamu yn ôl hanner cam nes iddi deimlo nwyon cryf y slyri yn taro'i thrwyn.

Gwyddai Eleri y byddai'n rhaid iddo osgoi ei hanafu os oedd am hawlio taw damwain oedd hi – a dyna oedd ei hunig obaith. Sefyll ei thir a bod yn barod am y gwthiad oedd ar fin dod i'w chyfeiriad, a gafael ynddo a chymryd ei siawns.

Ar ôl troi ei wn ar draws ei gorff, cerddodd Richard ymlaen ati yn benderfynol, yn amlwg yn bwriadu ei gwthio dros yr ochr. Cydiodd hithau am ei arddyrnau a'u gwasgu'n dynn er mwyn sicrhau gafael da.

"Bitsh," meddai yntau wrth duchan.

Llenwodd ei thrwyn ag arogl stêl smociwr, digon i droi ei stumog, ond ar y foment honno dim ond goroesi oedd ar feddwl Eleri.

Yn ddisymwth, mewn eiliad, a chyda'i holl nerth, claddodd ei thalcen i ganol ei ben mor galed nes llorio'r ddau ohonynt. Disgynnodd Richard James ar ei gefn a bwrw'i ben yn galed ar y concrid. Llifai'r gwaed fel pistyll parc. Eleri oedd gyntaf i godi ar ei thraed. Plygodd yn ei hanner a chwydu cynnwys ei stumog yn ddireol, cyn sythu a phoeri'r chwerwedd o'i cheg. Roedd y rhod wedi troi o'i phlaid ond roedd y dryll yn dal yn nwylo'r ymosodwr ar y llawr. Gwyddai Eleri fod angen iddi ddianc oddi yno'n gyflym rhag ofn bod gan Richard James ffrindiau yn agos.

Roedd y ffermwr, er ei fod yn dal ar ddihun, yn gweld sêr a doedd fawr o siâp arno. Aeth Eleri draw ato'n sigledig a'i gicio yn ei asennau mor galed nes iddi gleisio ei throed. Wrth i'r dryll ddod o'i ddwylo taniodd i'r awyr gan godi haid o frain o'r coed o amgylch y fferm. Daeth ei hyfforddiant MI5 yn ddefnyddiol i Eleri wrth iddi gofio mynd i boced y dyn, nôl allweddi ei gar a'u taflu i ganol y slyri er mwyn sicrhau nad oedd modd iddo ei ddilyn. Cerddodd oddi yno am ei char gyda dryll Richard James yn ei dwylo.

Y Cyfweliad

GAN FOD ELERI yn hwyr, gadawodd Tomos neges iddi gyda Miss Beti Jones yn dweud ei fod wedi mynd draw i orsaf yr heddlu ac iddi ei ddilyn yno. Funudau'n ddiweddarach, roedd Tomos yn eistedd, gyda ffeil o dan ei fraich, yn aros am Eleri yn nerbynfa'r orsaf heddlu.

"Can I help you, or are you here just to shield from the rain? This isn't a cafe, you know," meddai'r sarjant mewn acen Gymraeg gan gymryd yn ganiataol nad oedd y dyn yn siarad Cymraeg.

"Gallwch, fel mae'n digwydd," atebodd Tomos gan godi a mynd draw at y ddesg. "Dwi eisiau gwybod pam bod heddweision Dyfed Powys wedi bod yn 'y nilyn a 'ngwylio i a 'nheulu."

Cododd Tomos ei lais yn fwriadol uchel er mwyn i nifer o'r cyhoedd a heddweision eraill yn y cyffiniau ei glywed.

"Enw?" gofynnodd yr heddwas, yn ceisio cuddio'i syndod fod y dyn yn siarad Cymraeg.

"Tomos Lloyd, Llanyborth, mab Sali Lloyd. Dylai'r enwau yna fod yn canu clychau mawr yn rhywle."

"Reit. Un funud," meddai'r heddwas a diflannu i rywle yn y cefn cyn dychwelyd gyda dau heddwas, un yn ifanc mewn siwt rad a mop o wallt du a'r llall yn foel ac yn dalach gyda golwg person hirben arno.

"Dewch i'r swyddfa am sgwrs, Mr Lloyd," awgrymodd yr un hynaf.

Ar ôl eistedd a threfnu cwpanaid o de cyflwynodd y ddau eu

hunain fel Jac a John. Jac oedd yr un ifanc a John yr hen ben.

"Dwi eisiau gwybod pam ry'ch chi wedi bod yn fy nilyn i a 'nheulu. Mae hyn yn hollol annerbyniol ac mae 'da fi dystiolaeth bendant fod eich ceir chi a'ch plismyn *plain clothes* chi wedi bod yn mynd yn slei bach o gwmpas Llanyborth yn cadw llygad arnon ni."

Roedd yr heddwas ifanc mor awyddus i ateb roedd e'n gwingo yn ei gadair, ond doedd Tomos ddim wedi gorffen.

"A dod i angladd Mam. Rhag eich cywilydd chi. Dod i angladd Mam yn y gobaith o ddal fy nhad, yn y gobaith y bydde fe'n ymddangos ar ôl yr holl flynydde – ac wedyn beth? Arestio fe o flân y galarwyr achos ci fod e wedi dod i ffarwelio â Mam?"

Ceisiodd yr heddwas ifanc ateb eto ond roedd gyda Tomos fwy i'w ddweud. Aeth i'w ffeil ac estyn rhestr MI5 o'r holl geir a'i rhoi o dan drwyn y plismyn.

"Heb sôn am wastraffu arian cyhoeddus. Faint mae'n ei gosto cael plisman i ddilyn rhywun am orie yn 'ych ceir drud chi? Miloedd, mae'n siŵr. Ac wedyn beth ydy'r cyfiawnhad am hyn i gyd?

"Fe ateba i 'nghwestiwn fy hunan," ychwanegodd Tomos. "Trosedd honedig, ddeugain mlynedd yn ôl, a phe bai'r achos yn mynd i'r llys? Bydde mor wantan â choese meddwyn ar nos Sadwrn."

Ar ôl i Tomos orffen, cymerodd anadl ddofn ac yna eistedd yn ôl yn ei gadair yn ddistaw er mwyn dod ato'i hun. Daeth hi'n dro i John, yr heddwas hynaf, ateb. Edrychodd yn bwyllog ar waith papur yr MI5 cyn siarad.

"Mr Lloyd. Yn gyntaf, mae hi'n ddrwg gen i am eich colled, ac ar ran yr heddlu dwi'n ymddiheuro os oedd presenoldeb un o'r heddweision yn yr angladd wedi achosi unrhyw boen i chi.

"Yn ail, gwaith papur MI5 sydd yma. Wn i ddim beth yw rôl MI5 yn yr achos yma oherwydd mater i'r heddlu yn unig yw hwn.

"Yn olaf, Mr Lloyd, nid dilyn eich teulu chi oedd ein swyddogion yn ei wneud ond dilyn rhywun arall."

"Pwy?" gofynnodd Tomos.

Cyn i'r heddwas ateb, daeth cnoc ar y drws a daeth Eleri i mewn yn gwasgu macyn llawn rhew ar ei thalcen.

"Eleri Jones, MI5," dywedodd gan fflachio'i cherdyn o dan drwynau'r heddlu a gwasgu llaw Tomos yr un pryd. "Lle 'dach chi wedi cyrraedd?" gofynnodd.

"Fe wnawn ni aros nawr… am funud," meddai'r heddwas. "Mae'n rhaid i fi fynd i siarad ag uwch-swyddog… cyn siarad gydag MI5."

Diflannodd yr heddweision a gadael y ddau ar eu pen eu hunain.

"Beth sy'n bod ar dy ben di? Y clais 'na?"

Er iddi gyrraedd yn hyderus, wedi i'r plismyn fynd aeth Eleri ychydig yn ddagreuol.

"Wn i ddim be mae'r heddlu yma'n meddwl sy ar waith ond mae Richard James yn seicopath."

"Beth ddigwyddodd?"

Cymerodd Eleri anadl hir a dwfn iawn. "Seico, Tomos… Triodd o'n lladd i. 'Yn lladd i am hwyl. Lladd heb reswm."

Rhoddodd ei phen ar y ddesg i orffwys ac ar ôl munud neu ddwy sylweddolodd na allai gadw ei llygaid ar agor. Cododd ac edrych o'i chwmpas. "Tomos, dos â fi o'r lle 'ma." Rhoddodd allweddi'r car yn ei law. "Dwi wedi ymlâdd, dwi angen gorwedd am ychydig."

Sylweddolodd Tomos y gallai swyddog MI5 hyd yn oed ddioddef o sioc wedi iddi wynebu dyn gwallgof a'i fryd ar ei lladd.

Ar ôl egluro i'r heddlu fod Eleri am roi ei phen i lawr i orwedd aeth y ddau i'w char yng nghefn gorsaf yr heddlu. Rowliodd Eleri mewn pelen ar sêt ôl y car. Gadawodd Tomos hi yno ac aeth yn ôl at yr heddweision er mwyn parhau â'r sgwrs.

Ar ôl hanner awr, daeth y plismyn yn ôl i'r ystafell i weld Tomos. "Ymddiheuriadau am yr oedi, Mr Lloyd. Gobeithio bod Miss Jones yn iawn?" meddai John yn gwrtais.

"Fe fydd hi'n iawn. Felly i fynd yn ôl at y sgwrs – os nad fy nheulu i roeddech chi'n eu dilyn, pwy?"

"Gwyn Jones, cyfreithiwr eich mam. Dyna ble 'dyn ni'n dau wedi bod yn ystod yr hanner awr diwetha – yn ei gyfweld e drws nesa. Mae e wedi dod yn ôl o'i wyliau o'i wirfodd y bore 'ma i ateb cyhuddiad o ddwyn oddi wrth ystad eich mam. Mae e'n gwadu popeth. Ac mae e hefyd yn awyddus i gael gair â chi."

Yn y cyfweliad gyda'r heddlu a gynhaliwyd hanner awr yn gynharach, roedd Gwyn yn edrych yn dda ar ôl cael ychydig o liw haul – yn wir, yn rhyfeddol o dda ac ystyried ei fod wedi cael ei gyhuddo o ddwyn ac yntau'n gyfreithiwr parchus.

Ar ôl gwrando ar yr heddwas yn darllen ei hawliau iddo gwrthododd unrhyw gynrychiolaeth gyfreithiol am ddau reswm. Yn gyntaf, roedd yn gallu edrych ar ôl ei hun ac, yn bwysicach na hynny, roedd am gadw'r achos mor dawel â phosib. Byddai'r newyddion ei fod wedi cael ei arestio yn lledaenu fel fflamau mewn coedwig, drwy'r gymuned gyfreithiol i gychwyn cyn cyrraedd clustiau'r boblogaeth ehangach.

"Yn bresennol, Ditectif Sarjant John Wilkins, Ditectif Gwnstabl Jac Price a Mr Gwyn Jones. Yr amser…" Edrychodd John ar y cloc mawr ar y wal, "Pedwar o'r gloch y prynhawn. Mae Mr Jones wedi dewis peidio cael cynrychiolaeth gyfreithiol ac wedi cydnabod ei fod yn deall ei hawliau a goblygiadau'r cyfweliad.

"Mr Jones. Ddydd Sadwrn 13 Gorffennaf eleni, beth ddigwyddodd? Beth oedd eich symudiadau ar y diwrnod hwnnw?"

Roedd cynlluniau Gwyn Jones wedi eu chwalu ers iddo dderbyn y gorchymyn i ddychwelyd ar frys i Gymru ar ôl i'w long ddocio ym mhorthladd Corfu. Yn allanol edrychai'n hunanfeddiannol ond y tu mewn ymdrechai Gwyn i reoli ei dymer.

"Codais i Sali Lloyd am naw'r bore y tu allan i'w thŷ. Trefniant eitha cyson. Mynd i siopa i Gaerfyrddin. Ond mi gafodd hi drawiad ar y galon. Felly fe wnes i alw ambiwlans – ac mi wyddoch y gweddill … Beth ydy'r broblem, ditectif? Beth yw sail yr honiad yma o dwyll y sonioch chi amdano ar y ffôn?"

"Mr Jones. Ewyllys Sali Lloyd… Yn ôl un ffynhonnell ddibynadwy, chi sydd wedi cael ei harian hi. Dwyn ei harian hi, ac wedyn mynd ar wyliau moethus yn sgil hynny. Chi, ei chyfreithiwr, yn cymryd arian mawr gan wraig sydd wedi bod yn gwsmer da i chi."

Gwyddai Gwyn yn syth pwy roddodd y stori iddynt. "Miss Beti Jones sydd tu ôl i hyn. Mae hi wedi chwerwi… a dy'ch chi wedi gwrando ar ei ffantasi hi."

"Ffantasi, Mr Jones? Y'ch chi'n galw arian sy'n mynd i mewn i'ch cyfrif personol chi yn ffantasi?"

"Ie… ffantasi hen fenyw flin sydd wedi sylweddoli cyn lleied o bensiwn sydd ganddi ar ôl blynyddoedd o wasanaeth. Does gynnoch chi ddim achos, does gen i ddim byd arall i'w ddweud ar y mater. *No further comment*."

Wedi gadael yr ystafell i ymgynghori daeth y ddau yn ôl.

"Mae Tomos Lloyd yn yr adeilad yma heddiw. Mae e'n haeddu cael gwybod y gwir oddi wrthoch chi, Mr Jones. Mae croeso i chi gael sgwrs, os bydd hynny o gymorth i symud pethau ymlaen. Er mwyn pawb?"

*

Ar ôl clywed y newyddion fod Gwyn Jones wedi cael ei arestio roedd Tomos mewn sioc ac wedi mynd i eistedd yn y cyntedd i geisio rhesymu ynghylch y peth. Gwyn Jones, meddyliodd, y dyn roedd ei fam yn ei drystio fel brawd ac yntau yn ei drin fel tywysoges bob amser. Annhebygol iawn, meddyliodd, ond er gwaethaf hynny, fesul munud roedd hedyn bach o amheuaeth yn tyfu.

"Mae Gwyn Jones yn barod am sgwrs. Croeso i chi fynd ato," meddai John, yr heddwas hynaf.

"Dwi ddim yn siŵr ydw i'n barod i siarad â Gwyn Jones."

"Dwi'n deall… Yr unig beth, falle… Yr hyn dylech chi ei ystyried yw pwysigrwydd mynd i wreiddyn y gwirionedd, er lles eich mam. Mae yna bosibilrwydd, wrth gwrs, fod Gwyn yn ddieuog."

Awgrymodd yr heddwas hyn oll yn gall ac yn gytbwys, gan synnu Tomos braidd, ac yntau bellach yn fwy cyfarwydd â dulliau heddweision Llundain o hyrwyddo euogrwydd yn ddiffael – yn enwedig ymysg y gymuned ethnig.

"Iawn, cytuno. Falle dylwn i ei weld e felly."

Aeth Tomos draw at yr ystafell gyfweld i ymuno â Gwyn Jones. Am y tro cyntaf erioed, gwelodd Tomos y dyn ac yntau heb fod yn gwisgo'i siwt ddu arferol. Doedd mo'r awdurdod arferol ganddo a roddai ei siwt ddu iddo felly. Ond gwên hyderus, yn hytrach nag edrychiad dyn euog, oedd yn croesawu Tomos.

"Un da ydy John Wilkins, wastad â gwên."

Dyna oedd geiriau cyntaf Gwyn wrth i Tomos ei gyfarch, ond gwyddai'r ddau fod gan Gwyn lawer mwy o drafferthion na phoeni am sgiliau cymdeithasol y plismyn lleol.

"Beth sy'n mynd ymlaen, Gwyn?" gofynnodd Tomos wrth eistedd i lawr, yn fodlon rhoi cyfle teg i'r dyn roi ei ochr ef o'r stori.

Cyn dechrau siarad o ddifrif, pwyntiodd Gwyn at ei glustiau fel arwydd y byddai'r heddlu'n clustfeinio arnynt.

"Tomos, does gen i ddim cywilydd cyfaddef fy mod yn caru dy fam. Ac wedi ei charu ers y tro cyntaf i fi ei chyfarfod pan gerddodd hi i mewn i'r swyddfa a thoddi fy nghalon efo'r llygaid llwyd yna. Ond doedd hi erioed yn teimlo'r un fath amdana i… yn anffodus."

"A rhaid cofio am fater bach bodolaeth eich gwraig, Audrey, hefyd?" awgrymodd Tomos.

"Ie, wrth gwrs," cytunodd Gwyn. "Fy unig drosedd i yw fy mod wedi syrthio mewn cariad efo dy fam, felly mae'r awgrym fy mod wedi dwyn yn hollol wirion ac yn ddi-sail."

"Iawn," meddai Tomos. "Dwi am dderbyn eich fersiwn chi am y tro, ond mae angen i chi egluro pam bod yr heddlu yn dweud eich bod wedi dwyn oddi wrth Mam."

"Talu siec i mewn i fy nghyfrif personol drwy gamgymeriad a thalu'r arian yn ôl allan yn syth ar ôl i fi sylweddoli'r camgymeriad – dyna ddigwyddodd. Yr unig beth welodd Beti oedd y siec yn mynd i mewn. Blerwch ar fy rhan i oedd yr holl beth. Dwi'n poeni dim am y peth, Tomos. Ond mae 'na rywbeth llawer pwysicach gen i i'w ddweud wrthat ti heddiw."

"Iawn. Cariwch ymlaen."

"Y tro y dest ti i weld Glyn, roeddwn i hefyd wedi bod wrth ei ochr yn gynharach, ac wedi cael sgwrs hir. Fe ddywedodd hanes dy dad y noson y diflannodd. Roedd Glyn yn gwybod ei fod o'n sâl iawn felly roedd o'n awyddus i rannu'r ffeithiau efo rhywun arall. Rhag iddo fynd â'r holl beth i'w fedd.

"Mae'n rhaid i fi gychwyn gyda hanes Glyn a Richard James. Mae gan Richard James a'i wraig Eirian ddau o blant. Mab a merch. Ychydig sy'n gwybod mai Glyn yw tad y bachgen. Dyna pam mae Richard ac yntau'n casáu ei gilydd gymaint. Ond ar ben hynny, roedd Richard a Marc Gilly yn casáu'r Americanwyr – yn enwedig rhai fel dy dad oedd yn dwyn merched y pentre. Wedyn, ar ôl i ti gael dy eni roedd hen ficer Llanyborth, tad Richard James, yn chwyrn yn erbyn dy fam ac fe driodd ei thanseilio hi a threfnu dy fod ti'n cael dy fabwysiadu.

"I dorri stori hir yn fyr, daeth cyfle i ddial ar dy dad un noson wrth bont y rheilffordd. Yn ôl Glyn, mi aeth Marc Gilly a Richard

James i herian dy dad wrth y bont. Ond yr hyn doedd y bois lleol 'na ddim wedi ei ystyried oedd cryfder naturiol a greddfol dy dad i oroesi. Magwraeth galed 'nôl yn America, siŵr o fod, oedd yn gyfrifol am hynny.

"Felly mi gafodd Richard James dipyn o stid gan dy dad, ac wedyn twrn Gilly oedd hi, ac er bod dy dad wedi blino erbyn hynny mi gafodd y gorau ar y mab ffarm hefyd. Wedyn, yn ei wylltineb, mi dynnodd Richard wn hela a saethu i gyfeiriad dy dad a lladd ei ffrind, Gilly, a dyna ni. Llofruddiaeth Llanyborth i ti mewn un funud union. Daeth Glyn a'r ficer yno a gweld eiliadau olaf yr ymladd a'r saethu."

"Mae'r fersiwn yna yn gwneud synnwyr. Oes 'na fwy?" gofynnodd Tomos.

"Oes. Diflannodd dy dad ac mae blynyddoedd mawr ers hynny ond mae'r gwenwyn yn dal yma. Mae pobol fel Richard James yn awyddus i bawb gredu ei fersiwn o, sef bod dy dad yn llofrudd. Ers i ti ddod yn ôl, a dechrau chwilio a holi, a mynd o gwmpas yn dweud dy fod yn chwilio am dy dad, mae'r nyth cacwn wedi ei brocio eto. Ar ben hynny, wrth i'r hen Glyn fynd yn sâl mae Eirian wedi dechrau ymweld â fo eto, teimlo ei bod hi eisiau bod yno iddo yn y cyfnod anodd yma. Ac mae hynny wedi gwneud Richard yn ddyn blin iawn.

"Dwi'n mynd yn ôl ar fy ngwyliau yfory, Tomos. Does gan yr heddlu yma ddim clem a dim achos chwaith, felly ar ôl i fi ddangos tystiolaeth fy mod i'n ddiniwed dwi am fynd yn ôl i'r haul."

Ar ôl gorffen y sgwrs ac wrth iddynt godi i fynd, aeth Gwyn i'w boced yn dawel. Heb ddweud gair, rhoddodd allweddi ei swyddfa yn llaw Tomos a syllu i fyw ei lygaid yn hir a bwriadol wrth wneud.

*

Cysgodd Eleri ar y sêt gefn yr holl ffordd yn ôl i Lanyborth a doedd dim cyfle gan Tomos i'w holi am y dryll henffasiwn yr olwg oedd wedi ymddangos yn y car – hen wn crand iawn gydag un getrisen yn dal i fod ynddo.

Ar ôl cyrraedd Llanyborth, llwyddodd i gario Eleri mas o'r car a'i rhoi i gysgu yng ngwely ei fam am weddill y prynhawn. Roedd yn y gegin pan ddaeth cnoc ar ddrws y tŷ, ac aeth i'w ateb.

Cyn i Tomos ddweud gair, prysurodd Mari heibio iddo ac i mewn i'r tŷ. "Tomos, sut mae Eleri? Miss Beti Jones, Gwyn Jones & Co, yn dweud bod golwg ofnadw arni pan alwodd hi heibio'r swyddfa yn gynharach i ofyn amdanat ti."

"Mae hi'n cysgu, Mari. Dwi ddim yn siŵr beth ddigwyddodd ond fe aeth hi i fferm Richard James a dod yn ôl gyda chlais mawr ar ei phen a'r dryll yma."

"Dwi'n credu fod gen ti ddryll arbennig iawn yn fan'na. Ma Richard James yn gasglwr gynnau yn ôl y sôn. Dwi wedi dod draw achos bod 'da fi rywbeth i ti. Newydd ffeindio hwn yng nghwpwrdd Dad. Dwi'n credu bod dy fam wedi'i adael e yno pan o'dd hi'n byw gyda ni ar ddiwedd y rhyfel."

Agorodd Tomos yr hen amlen oedd wedi melynu gan oedran a thynnu'r llythyr mas:

December 17, 1944

Dear Miss Sally Lloyd,

I am a captain in the US Army.

I am writing concerning Private Jerome Towers and to give you news.

He was shot in the arm by enemy soldiers in the battle for St Lô. I was also injured and the war ended for both of us.

Jerome is still unable to write himself and he asked me to write this letter as I am returning to America to continue my recuperation there and leaving imminently.

He is being well cared for here at the military hospital in

Cirencester, and when he is strong enough he will also return to America.

I learnt soon after meeting him that he was in danger of being held responsible for a crime he did not commit. You are aware of these events. I shared his view that he would not find justice.

It was my idea to report Jerome Towers as killed in action. I saw the opportunity and swapped his identity with that of a deceased soldier. It was easy to do in the chaos of war.

This way he will be able to return to normal life after the war. I think you would agree that he deserves that after all he has gone through.

I cannot reveal the name I passed to him for fear of this letter falling into the wrong hands.

Writing another man's letter is not an easy thing, particularly when it is a letter like this, but Jerome wanted me to say that he was leaving you with one last thought – that he would always love you.

Yours faithfully,

M Fuller

"Diolch am ffeindio hwn a dod â fe draw, Mari. Mae'n cadarnhau'r hyn dwi wedi'i ame ers tro, bod fy nhad wedi goroesi'r rhyfel."

"Yndi, ac mae'r llythyr yn profi hefyd ei fod o'n dal i'w charu hi," meddai Eleri, oedd wedi cerdded i mewn yn edrych yn llawer gwell.

"Helô, Eleri, dwi'n falch bo chi'n well," dywedodd Mari a rhoi cusan iddi ar ei boch.

"Mae'r llythyr yn dweud rhywbeth arall hefyd," meddai Tomos. "Ar ôl darllen hwn yn 1944, roedd Mam yn gwybod, am y tro cyntaf, fod Dad yn fyw ac mewn ysbyty yn Cirencester. Beth fyddech chi'n neud pe baech chi'n clywed bod rhywun roeddech chi'n ei garu mewn ysbyty?"

"Mynd i'w weld e," atebodd Mari.

"Ie, yn hollol. Y'ch chi'n cofio Mam yn neud hynny neu yn sôn am y peth o gwbl?"

"Nac ydw, dwi ddim yn cofio dim byd fel'na. Doedd 'da hi ddim arian i deithio, Tomos, merch ifanc ddeunaw oed a fawr ddim ganddi – heblaw ti, wrth gwrs."

"Felly does dim posibilrwydd ei bod hi wedi mynd i'w weld o a dim posibilrwydd ei fod o wedi ymweld â hi yn Llanyborth ar ôl gadael yr ysbyty?" gofynnodd Eleri i Mari wrth estyn gwydraid o ddŵr o'r gegin ac eistedd wrth y bwrdd.

"Nac oes. Edrych ar y dyddiad. Fe fydde hi'n feichiog ar y pryd, ac anodd fydde iddi deithio ar draws y wlad a hithe wedi mynd gymaint o fisoedd. Hefyd, yn y pentre roedd dy dad, Tomos, yn llofrudd yn ôl y rhan fwya o'r boblogaeth. Dim ond fy nhad a fi oedd yn gefen iddi.

"Roedd gan dy fam ddigon o waith yn dy gario di – heb sôn am fynd i ysbyty yn Cirencester."

24

Y Cofio

YN ÔL YN Cirencester, ar yr un pryd, roedd Idwal wedi rhoi ei dad i cistedd o flaen y teledu i weld y ffilm yr oedd e eisoes wedi addo y câi ei gwylio. Roedd gwylio ffilmiau yn draddodiad mawr ganddo, hyd yn oed cyn i'r hen ddyn golli rhywfaint ar ei feddwl. Ffilmiau canol y ffordd o goffrau clasurol ffilmiau Prydeinig y pumdegau a'r chwedegau – Pinewood ac Ealing – oedd y ffefrynnau. Ffordd ddelfrydol o basio'r prynhawn a chyfle i Idwal ddarllen llyfr a chael llonydd wrth i'w dad ddiddori ei hun am awr neu ddwy o flaen y teledu yn gwylio'r hen ffilmiau. Yr unig broblem i Idwal oedd y ffordd swnllyd iawn y byddai'r hen ddyn yn gwylio'r ffilmiau hyn.

Ar ôl y newyddion cyhoeddodd y llais, "And next, it's hold on to your hats as we have the classic comedy film *The Fast Lady* for you."

"We went to see this in the Roxy when it came out, Father. In 1963, do you remember?" gwaeddodd Idwal ar draws y cyflwynydd.

Dyna'r math o ffeithiau fyddai'n gallu canu ambell gloch gyda'i dad, er gwaethaf ei gyflwr. Gallai hynny wedyn weithiau arwain at sgwrs fach weddol gall, pe bai e'n digwydd cofio. Ond ddigwyddodd hynny ddim y tro hwn; roedd yr hen foi yn rhy brysur yn canolbwyntio ar y sgrin fach o'i flaen.

Un o'r pethau nad oedd ei dad erioed wedi ei golli – er gwaethaf popeth arall – oedd ei wybodaeth wyddoniadurol hollgynhwysfawr am y byd ffilmiau Prydeinig hyd at 1980.

Cofiai Idwal am y trip i stiwdio'r BBC i eistedd yng nghynulleidfa *Mastermind* yn 1972 i wylio'i dad yn cystadlu. Pinewood Studios oedd ei bwnc arbenigol, a daeth yn ail agos iawn i ryw broffesor.

Wrth i'r gerddoriaeth gychwyn, ac er mwyn dangos ei werthfawrogiad o'r ffilm, dechreuodd yr hen ddyn symud yn ôl a blaen yn ei gadair, fel petai'n annog y peth i gychwyn dipyn cynt. Yn yr olygfa gyntaf gwelid yr actor Stanley Baxter – Murdoch Troon yn y ffilm – a hwnnw'n seiclo'n hamddenol drwy strydoedd Llundain, cyn cael ei daro oddi ar ei feic gan gar yn dyrnu heibio.

"Bloody cyclists," gwaeddodd ei dad.

"Calm down, Father," gwaeddodd Idwal yn ôl, ei ben mewn llyfr ac yntau ddim yn cymryd fawr o sylw o ddim byd arall.

Ar ôl hanner awr ymddangosodd Leslie Phillips yn actio'r cymeriad amheus Freddie Fox, prynwr a gwerthwr ceir ail-law.

Wrth i bob cymeriad newydd ymddangos ar y sgrin deuai darlith fach ganddo. "Leslie Phillips... cockney... went to Conti Academy... came out with Queen's English... cad... Pinewood... Ealing... joined the army...

"Coming later... Dick Emery... Clive Dunn... later on... good film... "

Meddai am yr actores ifanc benfelen: "Julie Christie, only her second film... Oscar in 1965... *Doctor Zhivago* after that... couldn't get a Bond film... no... breasts too small... that's what they said... too small for Bond..."

"Alright, that's enough, Father, you don't need to tell me all these things..."

Er bod gweld ei dad yn ei elfen yn rhoi ychydig o foddhad iddo, roedd y parablu cyson yn cynyddu cymaint weithiau fel y byddai'n rhaid i Idwal ddiffodd y teledu neu fynd i ystafell arall cyn y diwedd.

Yn y ffilm roedd y cnaf, Leslie Phillips, wrthi'n gwerthu car i Murdoch Troon. Roedd yn ei elfen wrth swyno'r dyn a rhaffu celwyddau bonheddig iawn yn ei ddull unigryw ei hun. "It's a lovely runner, you'll love it..."

Yna daeth porthi ei dad eto: "1927 Bentley... big engine... Red Label... a sports car... very fast... see what they called it... you can see..."

Roedd enw'r car wedi ei osod mewn llythrennau mawr ar ei ochr.

"The Fast Lady.... That's what they called her... in racing green she was... yes... the Fast Lady."

Cyn i Idwal fynnu bod ei dad yn rhoi'r gorau i'r holl ailadrodd poenus hwn a dweud y byddai'n rhaid iddo ddiffodd y teledu a'i anfon i'w ystafell, clywodd ei dad yn dweud "Same as Lovatt's car... the car that took Lovatt... not green... no... red... Bentley... didn't see the driver... no... just the car... just the car..."

Cododd Idwal ei olygon yn araf o'i lyfr ac edrych ar y sgrin wrth i Julie Christie ddod o rywle i edmygu'r car bendigedig o'i blaen, ond nid dyna oedd wedi tynnu ei sylw ond, yn hytrach, geiriau dryslyd ei dad.

"What did you just say, Father?"

Richard ac Eirian James

YN Y CYFAMSER, ar fferm Richard James roedd Eirian, ei wraig, yn cerdded i mewn i'w chegin i roi ei siopa ar y bwrdd. Doedd dim sôn am Richard, ond roedd hi'n gwybod ei fod wedi mynd i saethu gyda'i ffrindiau a bod heddiw'n ddiwrnod arbennig. Diwrnod pan fyddai'r dynion yn dod â'u gynnau hynafol a phrin o'u casgliadau gwerthfawr i'w dangos a'u cymharu, i edmygu a chenfigennu.

Roedd hi'n falch o'r llonydd ac yn edrych ymlaen at fwynhau cwpanaid. Edrychodd yn nrych y gegin, yn falch ei bod hi wedi gwneud ychydig mwy o ymdrech na'r arfer ar gyfer yr hen Glyn. Roedd hi'n hoffi drych y gegin – yn hwn roedd y golau yn ei tharo a gwneud iddi edrych yn dipyn iau na'i hoedran.

Diwrnod bach da ond emosiynol, meddyliodd, ar ôl mwynhau bore o siopa yn y farchnad, wedyn cwpanaid gyda hen ffrind ac ymweliad â Glyn druan i gloi. Er bod ei weld yn y gwely wedi ei hypsetio rywfaint roedd hi'n falch fod y cyfle wedi codi iddi allu mynd i'w weld. Erbyn hyn, roedd Eirian a Glyn fel dau hen ffrind ond nid felly roedd hi ar y cychwyn, er gwaethaf y gwahaniaeth oedran – roedd perthynas y ddau wedi bod yn agos iawn.

Dros y blynyddoedd roedd Eirian wedi talu'r pris am hynny dro ar ôl tro. Heb rybudd na rheswm, codai Richard y pwnc, fel pe bai newydd ddarganfod y gwirionedd am eu perthynas. Anelai un dwrn caled a chywir ati a fyddai'n rhoi Eirian yn ei gwely am ychydig ddyddiau dro ar ôl tro.

Ond heddiw, wrth wylio'i wraig yn cerdded o gwmpas y gegin o un o'r siediau cyfagos, roedd gan Richard resymau eraill dros fod yn grac. Nid yn unig roedd Eirian wedi bod yn gweld Glyn yn gyfrinachol ac wedi codi'r grachen honno unwaith eto, ond hefyd roedd e'n grac am i'r ferch ddierth gael y gorau arno ac, ar ben hynny, iddo gael y golled fwyaf erioed, sef colli ei wn gwerthfawr.

Roedd gan Richard James nifer o ynnau hela ond dim ond un o'r rhain. Gwn prin a pherffaith gan y gwneuthurwyr James Purdey & Sons, Llundain. Roedd Richard yn cofio gwneud y penderfyniad 'nôl yn y chwedegau, prynu tractor newydd ynteu brynu dryll gan Purdey & Co? Y Purdey enillodd y dydd a bu'n rhaid iddo ddyfalbarhau gyda'r hen dractor Massey Ferguson am flynyddoedd. Duw a ŵyr beth oedd gwerth y dryll erbyn heddiw. Roedd dyn o Lundain wedi cynnig £20,000 iddo dros flwyddyn yn ôl a gwyddai Richard fod modd prynu tŷ teulu tair llofft yn Llanyborth am arian fel hynny.

*

Roedd Eirian yn cysgu yn y gadair esmwyth pan afaelodd Richard yn ei gwallt a'i thynnu i ganol yr ystafell.

"Ti wedi bod yn gweld Glyn eto'r bitsh." Roedd ganddo gyllell trin ieir yn ei law arall ac roedd ei wyneb fel taran.

Roedd Eirian wedi hen arfer â'i natur wyllt ond roedd heddiw'n wahanol. Fel arfer, un dwrn i'w rhoi yn ei lle a dyna ddiwedd ar y stori, tan y tro nesaf. Ond ofnai fod rhywbeth arall llawer mwy yn y fantol y tro hwn.

"Bitsh, bitsh, bitsh," gwaeddodd wrth ei llusgo, yn gwingo a phrotestio, i gyfeiriad y seler, gan wybod nad oedd yr un enaid dynol arall o fewn hanner milltir i glywed y gweiddi a'r sgrechian.

Ar ôl cyrraedd y seler cymerodd Richard raff a chlymu ei dwylo. Taflodd y rhaff dros un o'r trawstiau yn y to ac yna dechrau tynnu er mwyn ei chodi oddi ar y llawr. Clymodd y rhaff a'i gadael yn griddfan mewn poen ac yn hongian fel doli glwt o'r to. Aeth i nôl un o'i ynnau hela, ei lwytho a dal y dryll at ei phen, gan fwynhau'r profiad o edrych i fyw ei llygaid er mwyn gweld yr ofn ynddynt.

Cerddodd yn ôl i'r gegin, yn falch iawn o'i waith ond yn teimlo'r briw yn ei drwyn yn dilyn y codwm yn gynharach yn y dydd.

"Dwi'n gwybod lle mae'r ferch 'na'n aros, a dwi am dy gael di 'nôl, Purdey bach, paid â phoeni," meddai'n uchel yn y gegin. "Tŷ'r Lloyds," meddai wedyn, fel pe bai'n cynllwynio gyda ffrind agos, er nad oedd neb arall yno.

Yr Anrheg

O FEWN AWR neu ddwy roedd Eleri wedi dod ati hi ei hun bron yn gyfan gwbl ac roedd Tomos a hithau yn trafod beth i'w gael i swper pan ganodd y ffôn.

Roedd Tomos yn adnabod y llais a'r acen yn syth.

"Idwal sydd yma. Mae tipyn bach o wybodaeth 'da fi. Mae Dad wedi bod yn siarad, ond dwi byth yn siŵr gyda fe y dyddie yma.

"Mae e'n dweud fod Lovatt, sef enw eich tad yn yr ysbyty, wedi gadael mewn car coch. Mae e wedi bod yn sôn am weld *sports car* coch, fel Bentley, y rhai hen oedd yn edrych fel rocedi – ydych chi'n gwybod pa rai dwi'n ei feddwl?"

"Odw," atebodd Tomos yn dawel. "Dwi'n gwybod yn iawn."

*

"Wncwl Ffred aeth i nôl fy nhad o'r ysbyty," cyhoeddodd Tomos ar ôl rhoi'r ffôn i lawr.

"Sut ti'n gwybod?"

"Mae tad Idwal wedi cofio gweld fy nhad yn gadael mewn hen *sports car* coch… sef car Wncwl Ffred. Mae'n rhaid. Pwy arall? Mae car coch Wncwl Ffred yn rhan o chwedloniaeth y teulu."

"*Bizarre* – dreifio i ffwrdd efo un o'r cleifion, a hwnnw yn ei byjamas hefyd, siŵr o fod. Mae gen ti deulu od iawn, Tomos," meddai Eleri gyda gwên. "Felly ar ôl i dy fam, yn feichiog efo chdi, ffeindio allan fod dy dad yn yr ysbyty yn Cirencester, mi recriwtiodd hi dy Wncwl Ffred i fynd i'w nôl… neu ei ddwyn hyd yn oed. Roedd dy fam yn dipyn o hogan. Ond beth am dy Wncwl Ffred erbyn hyn? Ydy o'n fyw o hyd? Lle mae o?" gofynnodd Eleri.

"Yn Llundain, ond dwi ddim yn siŵr lle. Doedd Mam ddim wedi sôn am Ffred ers tro. Mae'n rhaid ei fod e yn ei saithdegau hwyr erbyn hyn. Roedd e'n frawd bach i 'nhad-cu. Unwaith yn unig cwrddes i ag e – yn angladd fy nhad-cu. Dwi'n gwybod fawr ddim amdano ond byddai Mam yn cael ambell lythyr ganddo ac yn mynd i'w weld e'n achlysurol."

"Felly, o ddod o hyd iddo, mi fedrith o ddweud wrthot ti be ddigwyddodd i dy dad ar ôl y rhyfel. Oes rhai o'r llythyrau rhwng Ffred a dy fam o gwmpas y tŷ? Mi fedri di gael ei gyfeiriad o wedyn. Neu oedd yna lyfr cyfeiriadau gan dy fam yn rhywle?"

Aeth Tomos at y cwpwrdd nesaf at y ffôn a chwilio yn hen lyfr cyfeiriadau ei fam.

"Dwi wedi edrych o dan 'Ffred', 'Lloyd' a hyd yn oed 'Wncwl Ffred'. Dim byd. Dim sôn."

"Lle basa dy fam wedi cadw'r llythyrau 'ma?"

"Dwi ddim yn siŵr. Dwi'n cofio'r llythyrau yn dod drwy'r drws a glanio ar y carped, a Mam yn rhedeg i'w hagor nhw bob tro. Enw Mam, 'Miss Sally Lloyd', ar bob amlen mewn llawysgrifen unigryw a chrand – ond dwi ddim yn gwybod lle roedd hi'n eu cadw nhw ar ôl eu darllen."

"Pam nad awn ni i chwilio am un o'r llythyrau yma o gwmpas y tŷ – ac wedyn cael swper?" awgrymodd Eleri, ac roedd Tomos yn gwybod yn union ble i ddechrau chwilio.

*

Roedd hi'n dywyll fel y fagddu yn yr atig yn nhŷ Sali Lloyd a neb wedi bod yn agos at y lle ers hydoedd. Llechi Eryri oedd wedi sicrhau bod popeth yn sych ac wedi cadw'r goleuni naturiol mas hyd yn oed.

"Dyw hwn ddim wedi ei agor ers blynyddoedd."

Wrth i Tomos wthio drws yr atig ar agor daeth cawod o ddwst i lawr drosto. Achosodd hyn dipyn o gynnwrf ymysg y gymuned o gorynnod oedd wedi byw bywyd go dawel mewn tywyllwch ers tro.

Daeth cawod arall o ddwst i lawr wrth i Tomos godi ei hun i mewn i'r atig. "Pasia'r tortsh i fi."

"Oes 'na ola yna, Tomos? Fel arfar mae 'na ola."

"Aros, gad i fi weld. Dwi'n cofio bod 'na switsh yn rhywle."

Sgleiniodd Tomos ci dortsh o gwmpas yr atig a dod o hyd i switsh bach crwn yn y to uwch ei ben.

Daeth hen olau bach gwanllyd ymlaen. "Reit, mae 'na ole. Dringa lan ar fy ôl i a bydd yn ofalus."

"*God.* Roedd dy fam yn licio cadw petha, on'd oedd?" meddai Eleri ar ôl dringo i mewn i'r atig ac edrych o'i chwmpas ar yr holl bethau yn llenwi'r lle.

Aeth Tomos i chwilio mewn bocs gerllaw. "Mae 'na ddyn yn y pentre 'ma, Harri Cashman. Dyn fyddai'n gwacáu'r lle 'ma mewn hanner awr."

"Gwell i ti fynd i'w nôl o felly. Lle ti'n dechra chwilio yn y lle 'ma?"

"Yn fan'ma," atebodd Tomos gan chwifio bwndel o amlenni a rhuban coch amdanynt.

"Da iawn, Tomos. Agor un. Gad i ni weld."

"Mae 'na sawl un – *postmark* Llundain. Beth am fynd lawr a'u darllen nhw dros swper?" awgrymodd Tomos.

*

"Siomedig," meddai Eleri, yn eistedd yng nghanol yr holl lythyrau oedd wedi eu hagor o'i chwmpas. "Does 'na ddim cyfeiriad ar y rhain, Tomos," dywedodd wrth ddal un llythyr mewn un llaw a fforc yn y llall i rawio *fish and chips* i'w cheg.

"Wn i ddim pam. Mae rhoi cyfeiriad yn beth arferol."

"Mae'r llythyra 'ma'n eitha difyr, cofia, os ti'n mwynhau hanes cymdeithasol, sôn am wyliau a phethau personol felly," meddai Eleri.

"Mae e'n dweud iddo fod ym Mharis yn hwn, edrych… 1951 – 'First day of Spring, went up the Eiffel Tower, it is such a wonderful city. If I was born again I would come back as a Frenchman,'" darllenodd Tomos, cyn pasio'r llythyr i Eleri.

"Mae o'n mynd ymlaen i ddweud 'I hope you had a lovely Christmas and that Thomas liked the Dick Tracy car. J told me he got the last one in the shop.' Ti'n cofio cael car Dick Tracy, Tomos?"

"Pasia'r llythyr 'na 'nôl i fi."

Darllenodd Tomos y geiriau eto'n araf iddo'i hun: "J told me he got the last one in the shop."

"Pwy ydy J? A pam ti wedi mynd yn welw?" gofynnodd Eleri.

"J ydy Dad. 'J' am Jerome. Bob blwyddyn byddai Wncwl Ffred yn rhoi anrheg Nadolig i fi, ond mae'r llythyr yna'n dweud taw fy nhad fyddai'n rhoi'r anrheg i fi – nid Ffred."

"Ond eu gyrru nhw i ti o ble? America?" holodd Eleri.

"Dwi ddim yn gwbod. Falle."

"Felly mae'n rhaid bod dy dad yn gyrru anrhegion at dy fam, ac wedyn byddai hi'n rhoi enw Ffred arnyn nhw – rhag ofn i bobol ddechrau amau ella?"

"Ie, falle. Ond fe nath y trefniant yna wneud un bachgen bach yn hapus iawn, pwy bynnag oedd yn eu gyrru nhw," dywedodd Tomos wrth roi'r llythyrau yn ôl yn daclus a chlymu'r rhuban coch amdanynt. "Dwi'n cofio cael car Dick Tracy – a rhwygo'r papur Nadolig fel anifail bach, yn yr union ystafell yma. A Mam yn gweiddi 'Paid â rhwygo'r bocs, fe wnei di ddiolch i fi ryw ddiwrnod.'"

Ar ôl dweud y geiriau aeth Tomos i feddwl yn ddwys amdanynt.

"Ti isio panad?" gofynnodd Eleri, ond doedd Tomos ddim yn gwrando. "Be sy? Ti wedi llyncu dy dafod?"

"Na, dwi'n meddwl am rywbeth," meddai.

"Wel, tra bo ti'n meddwl, dwi am wneud panad."

Aeth Eleri i ferwi'r tegell ac ymhen ychydig funudau daeth hi'n ôl gyda phaned ym mhob llaw, ond gwelodd fod cadair Tomos yn wag.

"Tomos? Lle wyt ti?"

*

Roedd Tomos yn ôl yn yr atig ac yn chwilio yn llawer mwy gofalus na'r tro cyntaf. Doedd e ddim yn cofio pryd yn union yn ei blentyndod y cwplodd ei berthynas â'r car bach ond aeth i chwilio'n galed yn y gobaith nad oedd ei fam wedi cael gwared ar yr anrheg.

Tynnodd garped llachar o'r ffordd ac oddi tano roedd tomen o atgofion. Symudodd focs Monopoly yn gyntaf, wedyn hen focs mawr brown yn llawn chwaraewyr pêl-droed bwrdd. Roedd yn cofio'r rhain yn iawn. Wedyn gwelodd hen dygydau nwy o adeg y rhyfel ac o dan y rheiny casgliad o recordiau'r pumdegau. Y cyfan yng nghanol llwch sylweddol – *Porgy and Bess, Julie is her Name* gan Julie London a'r olaf, *The Fabulous Miss Lee.* Ar ôl symud y rheiny o'r ffordd, gwelodd o'r diwedd focs car Dick Tracy.

"Mae dy baned di'n oeri," gwaeddodd Eleri o dop yr ysgol a dim ond ei phen yn y golwg.

Cerddodd Tomos draw ati â'r bocs yn ei law. Roedd yn llawer llai o faint na'r hyn roedd yn ei gofio – dim mwy na maint bocs esgidiau plentyn. Roedd ei gof plentyn wedi ei dwyllo.

"Car Dick Tracy," meddai wrth Eleri a sefyll uwch ei phen yn edrych i lawr ar y clawr. "Yn dal yn ei focs," ychwanegodd.

"*Typical* dyn," dywedodd Eleri.

"Beth sy'n *typical* dyn?" gofynnodd Tomos.

"Wedi gadael y pris ar y gwaelod eto, edrych." Pwyntiodd Eleri at waelod y bocs.

"Ti'n iawn. 'Nes i erioed sylwi ar hwnna."

"Ac edrych ar enw'r siop, Tomos... Hamleys of London... Dyna ateb i dy gwestiwn di."

*

Yn y gegin, edrychodd y ddau ar y bocs roedd Tomos wedi ei roi ar y bwrdd.

"Felly, os dwi wedi deall yn iawn, mae hyn yn profi fod dy dad yn Llundain yn siopa yn Hamleys adeg y Nadolig 1950. Dwi ddim yn dditectif ond mi faswn i'n dweud bod dy dad wedi bod yn byw yn Llundain – a phwy a ŵyr, ella 'i fod o'n dal yna heddiw?"

"Diolch byth nad wyt ti ddim yn dditectif, Eleri – ti'n dipyn gwell na hynny. Ti'n hollol iawn – a'r holl dripiau roedd Mam yn eu gwneud i weld Wncwl Ffred yn dripiau i weld Dad. 'Sdim rhyfedd ei bod hi'n gwrthod mynd â fi. "

"Sut wyt ti'n teimlo am hynny? Dy dad a dy fam yn gweld ei gilydd a thitha'n gwybod dim?"

"Teimlad od iawn – ond teimlad da hefyd, fod y ddau wedi twyllo pawb... Alli di ddim ysgrifennu drama fel hon. Mae'r plot yn well nag unrhyw stori dwi erioed wedi ei hysgrifennu fy hun. Ac mae pethau eraill yn gwneud synnwyr nawr hefyd... Wnaeth hi erioed ddechre perthynas gyda dyn arall, er iddi gael cyfleon, a dyma'r gwir reswm i ti."

Tarfwyd ar y sgwrs gan gnoc ar y drws.

Prysurodd Mari i mewn gyda golwg bryderus ar ei hwyneb. Ar ôl gosod teisen ar y bwrdd, eisteddodd heb dynnu ei chot.

"Dwi'n poeni," cyhoeddodd cyn dechrau byrlymu. "Dwi wedi bod yn ffonio Eirian, gwraig Richard James, drwy'r nos a dwi'n poeni bod rhywbeth wedi digwydd iddi. Bydd hi'n ateb y ffôn yn ddi-ffael a bron byth yn mynd mas, ond heno mae'r ffôn yn canu a chanu a does neb yn ateb."

Ar ôl cymryd gwynt sydyn, ychwanegodd, "Ti'n gwybod, Tomos, fod Beti Jones yn joio bod yng nghanol busnes pawb. Wel, mae hi wedi dweud bod un o ddynion Clwb Sacthu Llanyborth wedi gweld Eirian yn parcio yn yr ysbyty ac wedi dweud wrth Richard. Wedyn fe aeth e gartre yn ei natur ac roedd e am ei gwaed hi. Roedd hi mor annwyl gyda Dad yn yr ysbyty, fe gododd ei galon, ond dwi'n poeni amdani hi nawr."

"Mae'n rhaid i ni fynd yn ôl i'r ffarm yna heno," mynnodd Eleri yn hollol bendant a digyfaddawd.

"Cytuno, does dim dewis 'da ni. Duw a ŵyr beth fydd hanes Eirian erbyn y bore. Mae e'n haeddu carchar am beth nath e i ti heddiw yn barod," dywedodd Tomos.

"Y gwir yw ei fod e wedi rhoi Eirian yn yr ysbyty sawl gwaith yn barod – ac ar ôl heddiw falle bydd hi mewn mwy byth o drafferthion," awgrymodd Mari.

Dechreuodd difrifoldeb y sefyllfa wawrio arnynt i gyd.

Cododd Tomos, estyn dryll Richard James a'i agor er mwyn sicrhau ei fod wedi ei lwytho. Caeodd y dryll gyda chlep hyderus.

"Eleri, oes 'da ti offer recordio lleisie a thapio sgyrsie yn y car anhygoel yna?"

"Oes… *state of the art*," atebodd Eleri.

"Reit. Dyma wnawn ni felly… Mari, arhosa di fan hyn a galw'r heddlu – erbyn i'r *armed police* ddod o Abertawe bydd hi'n orie mân y bore, felly aiff Eleri a fi yno nawr…"

Y Fargen

"Cofia fod ci peryg iawn yn y cefn," sibrydodd Eleri wrth i'r car arafu a dod i stop ganllath o dŷ fferm Richard ac Eirian James. Diffoddodd yr injan. Roedd pobman yn edrych yn dywyll a thawel iawn.

"Ti'n siŵr dy fod ti am fynd dy hunan?"

"Odw, jobyn i fi yw hwn. Ti wedi neud digon am un diwrnod. Mae'n bryd i fi gael cwrdd â'r dyn 'ma."

Camodd Tomos mas o'r car.

"Ydy'r microffon yn saff?" gofynnodd Eleri.

Agorodd Tomos ei siaced ledr a dangos y microffon iddi.

Aeth Tomos yn dawel at dalcen y tŷ a gwrando. Roedd sŵn teledu i'w glywed yn isel rywle yn y tŷ ac ychydig bach o olau yn dod drwy ffenest y gegin gan oleuo'r cefn. Gwelodd y ci yn cysgu yn y gornel bellaf.

Edrychodd i lawr ac o dan ei draed sylwodd fod gratyn yno ar waelod y wal, a thipyn bach o olau yn dod o ffenest y seler oddi tano. Tynnodd y gratyn haearn ac ymbalfalu i lawr at ffenest y seler.

Roedd yn rhaid iddo aros am ychydig eiliadau i gynefino â'r tywyllwch. Deuai llygedyn o olau i lawr rhwng estyll llawr y gegin uwch ei ben. Roedd arogl tamprwydd a hen blastar yn ei drwyn wrth iddo neidio i lawr o'r ffenest a glanio yn dawel ar deils y llawr.

Roedd hen weoedd corynnod trymion dros y waliau gwyngalch a'r lle yn hollol dawel. Yna clywodd sŵn. Sŵn bach

– prin y gallai ei glywed o gwbl. Ar ôl gwrando ac edrych am eiliad arall, yng nghornel y seler, gwelodd Eirian yn hongian o'r to.

Cerddodd draw ati'n bwyllog. Agorodd Eirian ei llygaid yn araf ond doedd fawr o fywyd ynddynt. Tynnodd Tomos y rhaff a gadael iddi ddisgyn yn ysgafn i'w freichiau.

Daliodd yn dynn ynddi ac aros am funud neu ddwy er mwyn rhoi cyfle iddi ddod ati ei hun ychydig. "Eirian, Tomos Lloyd sydd yma. Dwi am fynd â chi o 'ma. Ond dwi angen i chi fy helpu a cherdded 'da fi at y ffenest. Fe wneith fy ffrind, Eleri, edrych ar eich ôl chi wedyn."

Nodiodd hithau a cherdded yn araf tuag at y ffenest. Roedd Eleri wedi clywed popeth ac wedi dod mas o'r car i aros amdanynt wrth ffenest y seler.

"Da iawn, Tomos," sibrydodd Eleri. "Fe af â hi yn ôl i'r car."

"Iawn, dwi'n mynd yn ôl i mewn…" dywedodd Tomos yn isel.

"Bydd yn ofalus," oedd geiriau olaf Eleri wrth iddi hebrwng Eirian oddi yno.

Roedd y seler yn ddau ddarn: y darn tywyll lle roedd Richard wedi rhoi ei wraig i hongian ac yna roedd coridor yn arwain at ddarn arall mwy agored oddi wrth y grisiau a'r drws. Safodd Tomos yn y fan honno gan wybod yn union beth roedd am ei wneud nesaf.

Chwarddodd Richard James yn uchel wrth wylio *Morecambe and Wise*. Er ei fod wedi clywed y jôc o'r blaen roedd y sgets gydag André Previn wedi ei diclo unwaith eto. "Rwy'n chwarae'r nodau cywir ond ddim o reidrwydd yn y drefn gywir."

Yna clywodd Richard y cnocio caled a chyflym ar nenfwd y seler oddi tano.

"Dam… dam… dam," gwaeddodd yn dreisgar wrth godi a mynd am y seler. Tybiai fod Eirian wedi llwyddo i ddatglymu ei hun o'r rhaff a'i bod yn cnocio ar y nenfwd pren ac yn mynnu cael ei chlywed.

Aeth i nôl ei wn *four ten* o'r tu ôl i'r cyrtens yn y gegin. Llwythodd y dryll gyda dwy getrisen – dyma'r dryll cyfleus ar gyfer saethu ambell jac-do neu lygoden fawr o gwmpas y fferm. Gyda'r dryll yn ei law aeth i chwilio am ei wraig anufudd – a siarad yr holl ffordd at ddrws y seler, fel pe bai ffrind yn ei annog. "Beth am sorto hi mas 'da hwn?" meddai wrth agor drws y seler, rhoi'r golau ymlaen a cherdded i lawr y grisiau.

Rhewodd Richard James yn y fan wrth weld dyn mewn siaced ledr ddu yn sefyll o'i flaen.

Syllodd y ddau ar ei gilydd am rai eiliadau ond Tomos siaradodd gyntaf.

"Lle mae Eirian?" gofynnodd, er ei fod yn gwybod yn iawn lle roedd hi.

Gan wybod bod ganddo fantais y dryll yn ei law, dechreuodd Richard chwerthin yn dawel gydag ychydig bach o fwynhad yn ei lais.

"Tomos Lloyd…. Wel, wel… Ti'n holi am Eirian? Isie gwbod ble ma hi? Wel… mae hi'n hongian o gwmpas yn rhywle," atebodd, gan edmygu ei allu ei hun i drin geiriau.

"Ie, chi'n iawn, fi yw Tomos Lloyd. A dwi am daro bargen 'da chi heddi."

Roedd Richard yn hoffi'r gêm yma. Y dyn di-arf o'i flaen am daro bargen? "Mae 'da fi ddryll sy'n pwyntio atot ti. 'Sdim dryll o gwbwl 'da ti, felly pa fargen sydd 'da ti mewn golwg? Pam na ddylwn i dy saethu di nawr?" Gwenodd yr hen ffermwr yn llawn mwynhad. "*Self-defence* fydde fe. Ti wedi tresbasu ac ymosod ar hen ddyn ond fyddi di ddim yn fyw i ddweud y stori."

Rhoddodd Tomos ei gardiau ar y bwrdd. "Dwi am i chi roi Eirian i fi. Ac mae 'da fi rywbeth i'w roi i chi yn ei lle."

"Beth? Beth sydd 'da ti i'w gynnig fyddai o werth i fi?"

"Y Purdey."

Newidiodd wyneb Richard yn llwyr o ganlyniad i'r cynnig annisgwyl.

"Oes 'da ti'r Purdey?" gofynnodd fel petai'n siarad yn annwyl am blentyn coll. "Mae'r hen bitsh bach 'na wedi rhoi'r Purdey i ti? Dyle 'mod i wedi'i lladd hi pan ges i'r cyfle."

"Fe drioch chi ei lladd hi, on'd do?" gofynnodd Tomos.

"Do, yr hen bitsh fach gelwyddog yn dweud bod hi ar goll."

"Fel trioch chi ladd fy nhad hefyd."

"Ti'n debyg i dy dad," meddai Richard yn sarhaus. "Fi'n cofio fe. Dod yma a dwyn merched Llanyborth. Dim milwyr iawn oedd y rhai duon. Na, *toy soldiers*."

"Roedd dad yn filwr, ac wedi ymladd fel dyn. Dim fel chi bois y ffermydd, yn cael aros gatre i odro'r da."

"Watsia di beth wyt ti'n weud," meddai Richard gan godi ei wn ychydig yn uwch. "Dylwn i fod wedi'i ladd e pan ges i tsians – ond aeth y twpsyn Gilly 'na yn 'yn ffordd i."

Gan wybod ei fod wedi cael y cyffesiad ar y tâp, dechreuodd Tomos ystyried ei gam nesaf. Roedd arno angen cael ei hun mas o dipyn o dwll ac o afael y dyn peryglus yma â'r dryll cyn iddo ddarganfod bod Tomos wedi mynd â'i wraig oddi yno'n barod.

"Felly beth am y Purdey? Os chi moyn y dryll yn ôl, rhaid i chi roi Eirian i fi," dywedodd Tomos yn ddigyfaddawd.

"Iawn," atebodd Richard, heb chwerthin y tro hwn.

"Ble mae hi?" gofynnodd Tomos.

Camodd Richard ymlaen gyda'r bwriad o gerdded heibio Tomos ac i lawr y coridor i'r ystafell lle roedd wedi gadael ei wraig. Wrth iddo fynd heibio sylweddolodd Tomos fod *safety catch* dryll Richard James wedi ei gloi. Felly, o symud yn sydyn, gwyddai fod ganddo ddwy neu dair eiliad cyn y byddai Richard yn gallu ymateb.

Mewn un symudiad cyflym a slic, aeth llaw Tomos i boced tu mewn ei siaced ledr, tynnu rhywbeth unigryw mas a'i bwyntio at Richard.

Doedd Richard James ddim yn gallu credu beth roedd Tomos wedi'i wneud i'r trysor o wn. Cyn gadael tŷ ei fam roedd Tomos wedi llifio'r Purdey o'r ddau ben er mwyn creu *sawn-off shotgun* bach taclus.

"Y'ch chi'n hoff o fôr-ladron?" gofynnodd Tomos, ond roedd Richard mewn gormod o sioc i ateb.

"Môr-ladron. Y'ch chi'n hoff o fôr-ladron?" gofynnodd Tomos wedyn.

"Beth? Na! Pam?" atebodd Richard wrth edrych yn syn ar y dryll.

"Dyw môr-ladron ddim yn adeiladu llonge – ma'n nhw'n eu dwyn nhw. Ac ar ôl eu dwyn, ma'n nhw'n torri a thowlu hanner y coed i ffwrdd i wneud y llong yn gyflymach – a dyna sydd wedi digwydd i'r dryll yma yn fy llaw i." Tro Tomos oedd hi i wenu.

"Fe danioch chi un o'r cetris pnawn 'ma, felly mae 'na un arall ar ôl, sy'n llawn digon i fi. Dwi ddim angen mwy nag un," dywedodd Tomos.

Dechreuodd Richard anadlu'n drwm wrth iddo sylweddoli maint ei golled bersonol.

"Gollyngwch eich dryll, Richard. Neu dwi'n addo, fe saetha i a chi fydd yn gorwedd ar wely'r ysbyty heno gyda nyrs yn tynnu darnau plwm o'ch corff."

Rhoddodd Richard y dryll i lawr yn araf.

"Camwch yn ôl."

Ufuddhaodd Richard a chymerodd Tomos y dryll. Aeth ato a sefyll o'i flaen.

"Agorwch eich ceg," gorchmynnodd, a phwyntio'r Purdey ato.

Ar ôl protest, agorodd gwefusau Richard ychydig a gwthiodd Tomos y dryll i mewn i'w geg, gan fwrw ambell ddant ar y ffordd. Gwthiodd nes teimlo blaen y dryll yn taro cefn ei lwnc.

Agorodd Richard ei lygaid led y pen mewn sioc.

"Sut mae hwnna'n teimlo?"

*

"Cer i nôl y rhaff o'r seler," gwaeddodd Tomos wrth gerdded i gyfeiriad y car gyda Richard James yn cerdded yn ofnus o'i flaen.

Neidiodd Eleri mas o'r car a cherdded yn syth at Richard James, ei daro yn ei drwyn yn ei thymer a gweiddi arno, "Mae ysgwydd Eirian wedi'i datgymalu."

"Eleri... rhaff," gwaeddodd Tomos, rhag iddi ei fwrw eto.

"Iawn, *one rope coming up*," dywedodd Eleri, dan ei gwynt, wrth redeg am y seler a gadael Richard James yn gafael yn ei drwyn am yr eildro y diwrnod hwnnw.

O fewn hanner munud roedd Eleri yn ôl ac ymhen dim roedd Richard James wedi ei glymu a'i luchio yn ddiseremoni i gefn y Range Rover.

Yr Ewyllys

DRANNOETH DAETH YR heddlu i dŷ Tomos er mwyn casglu Richard James. Roedd Tomos ac Eleri yn y gegin yn yfed coffi du ar ôl dychwelyd o fynd ag Eirian i'r ysbyty am driniaeth.

Heb edrych ar y ddau heddwas, cyhoeddodd Eleri fod Richard James ym mŵt y Range Rover a thaflodd yr allweddi i ganol y bwrdd.

Yn ôl eu hwynebau diflas, doedd yr un ohonynt yn hoff o gael ei drin yn y fath fodd, yn enwedig gan fenyw.

"Y'ch chi'n gwybod fod *sawn-off shotguns* yn anghyfreithlon?" gofynnodd un ohonynt wrth bwyntio at y dryll bach ar y gadair gerllaw.

"Mae lladd pobol a hongian rhai eraill nes bod eu hysgwyddau nhw'n datgymalu yn anghyfreithlon 'fyd," atebodd Tomos ar ôl codi ac estyn y dryll bach i'r heddwas.

Cipiodd un o'r heddweision yr allweddi oddi ar y bwrdd a mynd mas at y Range Rover gyda'r drylliau yn ei ddwylo. Arhosodd y llall yn ei unfan.

"Oes 'da chi drwydded ar gyfer y dryllie?" gofynnodd.

"Nac oes," atebodd Eleri a chodi i wynebu'r heddwas. "Mae Richard James wedi lladd un dyn, trio fy lladd i a mater bach o GBH ar ei wraig, Eirian. Dwi'n swyddog MI5..." Fflachiodd ei cherdyn o dan ei drwyn. "Dwi wedi bod mewn cysylltiad efo fy rheolwr i yn Llundain. Mae o wedi siarad efo Prif Gwnstabl Dyfed-Powys a 'dach *chi* i fod i fynd â Richard James i'r ddalfa heb unrhyw nonsens. Mae gen i recordiad o'i gyffesiad – ond y ffordd dwi'n teimlo rŵan, dwi am ei gadw a'i roi o i'r heddlu rywbryd eto. Dwi ddim yn rhy hoff o'ch agwedd chi. Felly cerwch o 'ma rŵan, 'newch chi?"

"Reit," meddai'r heddwas. "Cadwch y tâp yn saff 'te. Fe awn ni."

"Iawn 'te. *Off* â chi 'te," meddai Eleri gan ei ddynwared. "Fedrwch chi fynd yn weddol handi, plis? Mae Tomos a fi am fynd i Gaerfyrddin ac wedyn yn ôl i Lundain."

*

"Dwi mor falch eu bod nhw wedi mynd â'r cythral yna o'r car," dywedodd Eleri wrth yrru'n hamddenol ar gyflymder oedd o fewn y gyfraith am y tro cyntaf ers i Tomos ei hadnabod. "Be os nad oes neb yn swyddfa Gwyn Jones?" gofynnodd. "Be nawn ni wedyn?"

Aeth Tomos i'w boced a thynnu allwedd mas. "Mae 'da fi'r allweddi, diolch i Gwyn. Dwi'n eitha hyderus y bydd 'na rwbeth yn ffeil Mam sy'n mynd i fod o help. Dwi'n credu taw dyna roedd Gwyn yn ei awgrymu wrth roi'r allweddi i fi. Falle bod Mam wedi gadael arian i Wncwl Ffred – a bod rhyw wybodaeth am hynny yn y ffeil."

*

Parciodd Eleri y car tu fas i swyddfa Gwyn Jones yn Heol y Cei ond doedd dim angen poeni am allweddi – roedd y lle ar agor ac yn llawn pobl. Dynion cwmni symud dodrefn oeddent, a bod yn fanwl gywir, mewn siwtiau glas taclus ac enw 'Evans Removals' arnynt yn symud dodrefn yn drefnus fel morgrug i'r lorri fawr y tu fas.

Aeth Tomos heibio un neu ddau o'r dynion wrth y drws ac anelu yn syth am y dderbynfa er mwyn cael gafael ar ffeil ei fam cyn i bopeth ddiflannu.

Ond roedd e'n rhy hwyr. Safodd yn y dderbynfa wag a dim byd ynddi heblaw clipiau papur ar y llawr a marciau llwch lle arferai'r dodrefn fod.

Gwelodd Tomos y dyn hynaf a phwysicaf yr olwg yng nghanol y gweithwyr. "Lle mae'r ffeiliau oedd yn y dderbynfa wedi mynd?" gofynnodd ar ôl ei gornelu ar waelod y grisiau. Bu'n rhaid i Tomos weiddi'r cwestiwn er mwyn i'r dyn ei glywed uwchben sŵn pawb arall.

"Castellnewy," meddai'r dyn. "*Storage* yn Castellnewy – Mill Bank Storage. Wedi mynd ers ddo'."

"Diolch," atebodd Tomos yn ddigalon a cherdded yn ôl at y car.

"Mae'r blydi ffeils yn Castellnewydd Emlyn. 'Sdim rhaid i ti ddod, fe ffendia i fy ffordd fy hunan yno."

"Paid â phoeni, ma gen i ddigon o betrol. Cofia 'mod i'n cael fy nhalu i ddod o hyd i dy dad, a chael costau hefyd – felly neidia i mewn."

Cychwynnodd Eleri'r car ond cyn iddi gael cyfle i yrru i ffwrdd camodd dyn difrifol iawn yr olwg o flaen y cerbyd.

"Pwy ddiawl ydy hwn?"gofynnodd Eleri.

"Gwyn Jones," meddai Tomos.

Daeth Gwyn at y ffenest ar ochr Tomos ac estyn ei law. "Helô Tomos… Ti yw Eleri, dwi'n cymryd? Dwi wedi clywed amdanat ti – geiriau canmoliaethus, dwi'n prysuro i ddweud. Ymddiheuriadau nad wyt ti wedi cael y croeso gorau gan drigolion Llanyborth."

"Pob dim yn iawn," meddai Eleri gan wenu.

"Tomos, dyma ffeil dy fam, dwi wedi ei harbed hi rhag y dynion symud 'ma ac wedi gwneud ffotocopi o bopeth dwi angen – felly cadwa di hon. A hwyl fawr i chi'ch dau."

*

Unwaith y diflannodd arwyddion Caerfyrddin y tu ôl iddynt, agorodd Tomos y ffeil a dod o hyd i'r ewyllys.

"Be mae hi'n ddweud?" gofynnodd Eleri wrth yrru ac edrych ar y ffordd a'r ewyllys am yn ail.

Darllenodd Tomos: "To my Son I leave the house and five thousand pounds, to Llanyborth School I leave a thousand pounds and to Mr Frederick Lloyd I leave ten thousand pounds…"

"Oes 'na gyfeiriad?" gofynnodd Eleri.

"Dim yn yr ewyllys. Nac o's. Ond aros, mae 'na 'schedule of payments' yma."

Aeth bys Tomos i lawr y rhestr ac ar ôl y taliad i'r ymgymerwr roedd enw Ffred Lloyd a chyfeiriad.

"213 Park Drive, Northolt, London…" meddai Tomos gyda rhyddhad yn ei lais. "Ond dim ond echdoe y postiwyd y taliad yn ôl hwn. Felly mae'n bosib y gwnawn ni gyrraedd cyn y siec."

"Hwrê. Reit, Northolt. Dwi'n meddwl bod Northolt yng ngogledd-orllewin Llundain… Estyn y map."

*

Roedd Tomos ac Eleri yn dawel unwaith eto a'r un pethau oedd yn rhedeg trwy feddyliau'r ddau – y ddau'n gofyn yr un cwestiynau yn dawel bach am y naill a'r llall. Roedd Tomos yn ceisio penderfynu a oedd gan Eleri ddiddordeb ynddo fe ac Eleri yn gofyn yr un cwestiwn am Tomos.

O ran ei dad, roedd Tomos hefyd yn mynd drwy'r posibiliadau yn ei ben. Ody fe'n fyw? Ody fe ym Mhrydain ynteu America? Ody fe eisie fy ngweld i? Oes 'da fe wraig a phlant? Ody fe'n gwybod fod Mam wedi marw ac a fydd ots ganddo fod 'da fe fab?

"Tomos, tra dwi'n cofio, mae 'na rywbeth dwi angen ei ofyn."

"Iawn, gofyn di."

"Dwi wedi bod yn siarad efo fy mhennaeth yn MI5, John Finsbury Bond. Mae o'n dweud fod MI5 yn recriwtio cwpwl o swyddogion newydd, ac mae ganddo awydd recriwtio rhywun mwy aeddfed y tro hwn. Yn lle mynd am ymgeiswyr ifanc bob tro. Cododd dy enw di yn y drafodaeth. Felly, pe bai diddordeb gen ti, rho wybod. A phwy a ŵyr, falla gwnân nhw adael i ni fod yn bartneriaid." Gwenodd Eleri.

Roedd Tomos yn syn. "Wel, dwêd wrth John 'mod i'n ddiolchgar iawn, diolch yn fawr iawn. Ond mae wedi rhoi tipyn o sioc i fi."

"Meddylia am y peth…" awgrymodd Eleri gan wenu ar ymdrech Tomos i ymddangos yn cŵl am y peth.

"Ond fi… yn gweithio i MI5? Awdur yn ei bedwardegau?"

"Ia, ond ti yw *just* y boi. Mae gynnon ni ymgyrch newydd i gyflogi dynion o dras ethnig – cofia fod bron pawb yn MI5 yn wyn. Ti hefyd yn ddyn ffit, yn alluog a thipyn o fynd ynot ti… felly meddylia am y peth." Gwenodd Eleri gan wybod bod Tomos yn ceisio cuddio'i ddiddordeb.

"Ac mae 'na gyflog *amazing*," ychwanegodd yn bryfoclyd gan gyfeirio at wendid yn sefyllfa Tomos wrth gofio ei fod wedi cwyno am ddiffyg arian fwy nag unwaith.

"Ond o ddifri – fi? *On her Majesty's service*? Dwi ddim yn meddwl," dywedodd Tomos.

"Ia… ond mae eu pres nhw'n ddigon handi, tydy Tomos? Ac os nad oes gen ti bensiwn gwerth sôn amdano, mi ddyliat ti weld ein pensiyna ni… *amazing* hefyd…"

Er bod cryn seibiant wedyn, roedd Eleri yn llawn ddisgwyl ei gwestiwn nesaf.

"Pa mor *amazing* ydy *amazing* felly?"

1950

Wythnos
cyn y Nadolig

ROEDD EI DAD-CU'N methu'n deg â pherswadio Tomos i adael coes ei fam yn rhydd. "Bydd hi 'nôl mewn tridie, Tomos. Gad iddi fynd, wnei di?"

"Na 'naf," atebodd y bychan a gafael yn dynnach byth.

Roedd Sali Lloyd yn sefyll yng nghyntedd y tŷ, yn barod i fynd mas i ddala ei thrên ac yn edrych yn y drych er mwyn gwneud yn siŵr fod ei cholur yn daclus. Roedd hi'n gwisgo ffrog Sally Slade, Regent Street, a phatrwm rhosod mawr du arni.

Roedd hi wedi penderfynu anwybyddu'r bachgen oedd yn gafael yn ei choes a gadael i'w thad ddelio â'r mater. Edrychodd ar y cloc a gweld bod chwarter awr ganddi cyn y trên, digon o amser ond iddi ddatrys y broblem fach yma.

Dyma fyddai'r frwydr bob tro wedi iddi gyhoeddi ei bod yn mynd i weld Wncwl Ffred. Roedd gweld y got ffwr yn ddigon i ddechrau protestio mawr.

"Fe awn ni i wneud pethe gyda'n gilydd," cynigiodd ei dad-cu.

"Pa bethe?" gofynnodd Tomos, yn gwrthod cael ei dynnu.

"*Hide and seek*?" cynigiodd John Lloyd.

"Na," gwaeddodd Tomos gan wybod yn syth taw gêm sâl oedd y gêm honno gan taw i'r cwpwrdd dan y grisiau y byddai ei dad-cu yn mynd bob tro.

"Reit, mae angen i fi fynd am y trên," cyhoeddodd Sali wrth gyffwrdd ei gwallt, oedd newydd gael ei drin y bore hwnnw.

"Fe awn ni i Siop Teg a phrynu losin," oedd cynnig olaf ei dad-cu, yn hyderus y tro hwn, gan ei fod yn gwybod bod y poteli losin lliwgar ar silffoedd Teg yn bwysig iawn ym myd Tomos.

"Faint o losin?" gofynnodd Tomos.

"Gwerth swllt, *pick and mix*, digon i bara drwy'r penwythnos. Nes daw dy fam gatre."

Gollyngodd Tomos ei afael yn araf a sefyll nesaf at ei fam. Roedd yn casáu'r profiad hwn.

"Tomos, bydd yn grwt da," meddai ei fam wrth gau botymau ei chot ffwr a rhoi sgarff am ei phen.

Gyda hynny, a chusan iddo, roedd ei fam wedi mynd am y stesion.

*

Dim ond dau oedd ar y platfform yn aros am y trên: Sali ar un pen i'r platfform a Glyn y cawr ar y pen arall, gyda hanner canllath rhyngddynt – golygfa od o gofio bod y ddau'n ffrindiau mawr.

Roedd ces mawr wrth ochr Glyn a dim byd gan Sali heblaw bag bach yn ei llaw a thusw o flodau.

Daeth trydydd person o rywle. "Chi wedi cwympo mas?" gwaeddodd Miss Beti Jones gyda'i gwallt du fel y gigfran a siaced goch i fynd gyda'r lipstic llachar.

"Mae'n ddrwg 'da fi?" gofynnodd Sali.

"Chi wedi cwympo mas? Chi a Glyn?" gofynnodd Beti Jones wrth edrych i gyfeiriad Glyn ac yna yn ôl at Sali.

"Chi'n cadw'n iawn?" gofynnodd Sali, yn gwrthod cael ei thynnu gan y cwestiwn agoriadol.

"Odw. Fi'n aros am ffrind *off* y trên. Dwi newydd gael jobyn newydd. Gyda *solicitor*. Mae e'n agor offis newydd yn Stryd y

Cei. Gwyn Jones, *whiz kid in a pinstripe suit* ma'n nhw'n ei alw fe. Aberystwyth *graduate*, chi'n gwbod? So chi'n *graduate*, odych chi?"

"Nac ydw. Ond da iawn chi, llongyfarchiadau. Falle dof i heibio'r swyddfa newydd i gwrdd â'r *whiz kid* yma. Mae angen cyfreithiwr arna i."

"Ble chi'n mynd?" gofynnodd Miss Jones yn fusnes i gyd.

"Abertawe, trip bach. Dim byd mowr," atebodd Sali, er bod y tocyn yn ei phoced yn dweud 'London Paddington'.

Edrychodd Miss Jones ar y colur a'r gwallt a dod i'r casgliad bod rhywbeth mwy diddorol na thrip siopa bach ar y gweill, ond cyn iddi gael cyfle i holi mwy daeth pwffian y trên i arbed Sali.

*

Eisteddodd Sali ac ymhen eiliadau daeth Glyn i eistedd gyferbyn â hi a gosod y ces ar y silff.

"Dyma dy ges di. Oedd yr hen drwyn yn dy holi?"

"Oedd, roedd hi'n busnesan. A diolch, Glyn, am gario'r ces. Y tro dwetha 'nes i adael Llanyborth gyda ches mawr, fe ddechreuodd pawb siarad."

"Iawn, dim problem, blodyn. Dwêd wrtha i – beth yw hanes pawb? Fi ddim yn mynd *off* nes Caerdydd, felly digon o amser am sgwrs."

"Mae Tomos yn grêt. Llawn bywyd. Dwi'n dechre ar y cwrs hyfforddi athrawon cyn bo hir, Ffred yn grêt a Jerome hefyd, dwi'n edrych ymlaen at weld y ddau."

"Ydy'r fodrwy 'da ti?" gofynnodd Glyn.

Edrychodd Sali o'i chwmpas cyn ateb yn dawel. "Ody." Aeth i boced ei chot ffwr, estyn y blwch a'i agor. "Modrwy dyweddïo yw hi, Glyn. Mis Mai dwetha, fe ofynnodd e i fi."

Gwenodd Sali yn falch wrth basio'r fodrwy i Glyn.

"Perffaith," meddai Glyn gan edrych yn fanwl ar y fodrwy rhwng ei fysedd.

"Fyddwn ni byth yn galler priodi. 'Sdim siawns i wneud pethe'n swyddogol fel'na," dywedodd Sali yn ddewr ond yn drist hefyd.

"I bwy mae'r blode?" gofynnodd Glyn gan gyfeirio at y tusw o flodau ar y sedd wrth ei hochr.

"I fi... blodau gwyllt Llanyborth – weithie dwi'n teimlo fel eu casglu am ddim rheswm. Mae blode'n bwysig," atebodd Sali, ond roedd meddwl Glyn wedi mynd i grwydro.

"Mae Jerome yn ddyn lwcus iawn – ennill calon y ferch â'r llygaid llwyd."

Gwenodd Sali ac edrych i fyw ei lygaid. "Dwi wedi cael fy ngalw yn wrach hefyd cyn heddiw."

"Sôn am hud a lledrith, ydy Wncwl Ffred yn dal i redeg busnes? Dal yn llawn bywyd?" gofynnodd Glyn.

"Bydd e yn Paddington yn aros yn y car coch 'na," atebodd Sali.

"Dim car yw e. Roced," meddai Glyn.

"Ond i ateb eich cwestiwn yn iawn, ody, mae e'n dal i redeg y busnes a rhoi gwaith llawn-amser i Jerome. Prynu pethe yng ngogledd Lloegr a'u gwerthu nhw mewn marchnadoedd yn Llundain am elw mawr.

"Mae Jerome a fe newydd symud i dŷ yn Northolt, felly fi'n edrych ymlaen at weld lle'r *bachelor boys*."

Gwenodd Sali a Glyn ar yr un pryd.

"Ody Tomos yn gofyn am ei dad byth?" gofynnodd Glyn.

"Mae e'n fachgen da. Dyw e ddim yn holi, a 'sdim syniad 'da fe taw ei dad sy'n rhoi'r anrhegion Nadolig iddo fe ac nid Wncwl Ffred. Ryw ddiwrnod gobeithio ceith e gwrdd â'i dad. Ond rhaid i chi addo eich bod chi'n cadw hyn i gyd yn gyfrinach, rhag ofn i'r awdurdode ddod o hyd i Jerome... Mae e'n saff yn Llundain... does neb yn amau dim."

"Dwi'n addo… ar fywyd fy mhlentyn," meddai Glyn.

"Plentyn? Bywyd pa blentyn yn union sy'n cael ei addo heddiw – Mari yr un swyddogol, neu'r un bach arall chi'n cadw'n dawel amdano? Mmm?"

Chwarddodd y ddau ac ymhen munudau daeth arwydd Caerdydd i'r golwg. Fe aeth Glyn yn ei siwt a'i got smart i fwynhau ei ddiwrnod yn y ddinas, a suddodd Sali yn ôl yn ei sedd a chysgu am weddill y daith, cyn dihuno mewn pryd i weld arwyddion Paddington.

Arafodd y trên, rhoddodd Sali'r fodrwy ar ei bys ac edrych mas drwy'r ffenest.

Yno, ar y platfform, yn ffyddlon fel arfer, roedd Ffred Lloyd. Gwenodd Sali a chwifio arno fel plentyn bach. Moesymgrymodd yntau a thynnu ei het fel pe bai'n croesawu brenhines. Tu ôl iddo, roedd Jerome yn eistedd yn y Bentley coch, ac yn canu'r corn yn swnllyd i'w chroesawu. Mae bywyd yn dda, meddyliodd Sali Lloyd wrth gamu o'r trên.

1985

30

Dagrau

"213 PARK DRIVE, Northolt… London. Dyma ni."

Ar ôl i Eleri gyhoeddi pen y daith a diffodd yr injan, syrthiodd y math ar dawelwch nad oedd yr un ohonynt yn awyddus i'w dorri.

Roedd yr adeilad wedi ei osod yn ôl o'r ffordd a rhywfaint o ddreif bach yn arwain at le i ddau neu dri o geir o flaen y tŷ.

"Wyt ti'n fodlon mynd i gnocio gynta?" holodd Tomos.

"Dwi'n credu falle bydd e'n dipyn o sioc i fi alw yn ddirybudd."

"Iawn. Aros di fa'ma."

Diflannodd Eleri i fyny'r dreif. Doedd dim posib i Tomos ei gweld hi'n cnocio'r drws nac ychwaith weld y dyn yn dod i'w chyfarch ac yn ei gwahodd i mewn.

Roedd aros yn y car yn anodd ac yn hir, digon hir iddi fwrw glaw cyn troi'n ôl yn heulog unwaith eto. Roedd Tomos ar bigau'r drain pan ddaeth Eleri yn ôl a neidio i mewn i'r car. Er bod ei llygaid yn sych roedd hi'n amlwg o'r cochni ynddynt iddi fod yn llefain.

"Reit, Tomos bach. Mae Ffred wedi ypsetio'n fawr iawn – doedd o ddim yn gwbod bod dy fam wedi marw. Ond tydy o ddim hanner mor ypsét â dy dad, achos mae o yna hefyd."

Rhoddodd Tomos ei law dros ei geg. Doedd ganddo ddim geiriau ar gyfer clywed bod ganddo dad ar ôl bod heb un am ddeugain mlynedd.

"Mae dy dad yn edrych ymlaen at dy weld. Well i ti fynd. Maen nhw'n dweud cei di aros yn fan'na heno ac mi gei di lifft yn ôl gan Ffred yn y bora – mae'r car coch 'na'n dal yn y garej, gyda llaw. Fe ges i *guided tour* bach sydyn.

"Reit. Pob lwc i ti rŵan, Tomos – dos i mewn, mae dy dad yn dy aros di… Faswn i'n dweud fod ganddoch chi dipyn o waith dod i nabod eich gilydd."

Gwenodd Tomos arni a rhoi cusan ar ei boch. "Cyn i mi fynd i mewn, dwi wedi bod yn meddwl. Ydy'r cynnig am swydd gyda MI5 yn dal i sefyll?"

"Yndi. Ond bydd yn rhaid i ti lenwi ambell ffurflen a chael cyfweliad anffurfiol. Pam?"

"Mae 'da fi ddiddordeb!"

"Iawn, mi wela i di ddydd Llun, felly. Dos rŵan, mae gen ti rwbath tipyn pwysicach i'w neud," dywedodd wrtho a'i wthio'n ysgafn o'r car, ond eto yn ddigon annwyl.

Camodd Tomos mas a gwylio cynffon ei char yn diflannu yn y pellter. Trodd i wynebu'r tŷ a cherdded yr hanner canllath olaf i gyfarch y dyn roedd wedi bod yn ysu am ei gyfarfod drwy gydol ei fywyd.

BROC RHYFEL

MARTIN DAVIS

'Nofel dreiddgar a llawn cyffro'
Ceridwen Lloyd-Morgan

£8.95

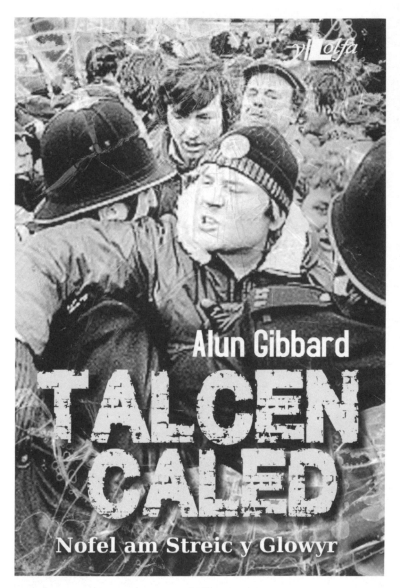

Alun Gibbard

TALCEN CALED

Nofel am Streic y Glowyr

£7.95

yl Lolfa

DIAWL Y WASG

GERAINT EVANS

'Llygredd a llofruddiaeth ym myd llenyddiaeth. Mae rhywbeth at ddant pawb yn y nofel fyrlymus hon.'

DAFYDD MORGAN LEWIS

£8.95

'Does dim llawer o sgrifenwyr doniol yn y Gymraeg ond dyma un – mae'n siarp fel raser ac yn sur fel lemwn.' Jon Gower

EURON GRIFFITH
DYNPOBUN

y Lolfa

£7.95

LENI TIWDOR
EURON GRIFFITH

y Lolfa

£8.95

Am restr gyflawn o lyfrau'r Lolfa, mynnwch
gopi am ddim o'n catalog
neu hwyliwch i mewn i'n gwefan

www.ylolfa.com

lle gallwch archebu llyfrau ar-lein.

TALYBONT CEREDIGION CYMRU SY24 5HE
ebost ylolfa@ylolfa.com
gwefan www.ylolfa.com
ffôn 01970 832 304
ffacs 832 782